Помогает ли нам медицина?

Prod No.	99038
Date	04.04.19
Supplier	DZS Grafik doo
T.P.S	229mm x 152mm portrait
Extent	144pp in 4/4 (CMYK)
Papers INT	120gsm GalerieArt Natural Woodfree
Cover	4/1 (outter PMS 807C Pink, 563C Green, spot black, Reflex Blue C / inner PMS Reflex Blue U) + varnish on 300gsm C1S
Finishing	matt lam + spot UV on front cover, 140mm flap back cover only
Binding	Limp bound, section sewn in 16pp, square back, front cover cut flush, back cover flap flush with book block, cover drawn on with extended back flap folded in.

The Big Idea

Джулиан Шизер

Помогает ли нам медицина?

Введение в XXI век

Более 160 иллюстраций

A+A

Редактор серии:
Мэтью Тейлор

Содержание

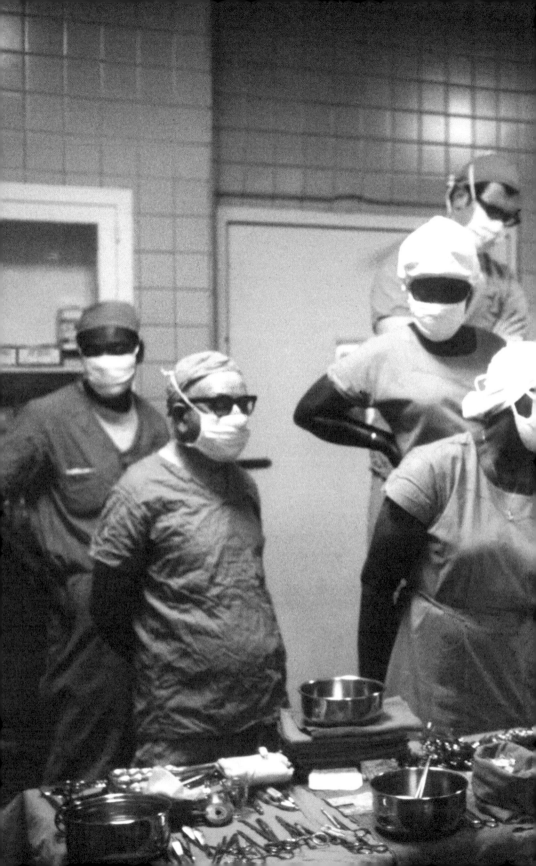

Введение

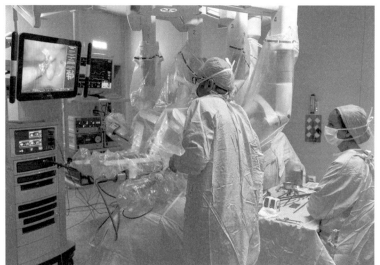

A Медицина находится на острие технологий, но вызывает вопросы как о рациональном использовании ресурсов, так и об экономической эффективности. На фото — операция на простате с использованием хирургического робота Да Винчи.

B Предупреждающие знаки напоминают сотрудникам больницы и посетителям о необходимости вымыть руки. Посетителям следует быть такими же бдительными, как и персоналу, чтобы свести к минимуму распространение нозокомиальных инфекций.

По степени охвата и влияния западная медицина не имеет себе равных.

Отчасти это связано с главенством Запада в политике и экономике: медицина распространялась наравне с империей; крупнейшие (западные) медицинские компании захватили земной шар. Но эта гегемония установилась и благодаря феноменальным успехам медицины. Западная медицина ликвидировала полиомиелит и совершила первую пересадку сердца. Она дала нам антибиотики, вакцинацию и генотерапию. Она способствовала впечатляющему увеличению продолжительности жизни. Редкая неделя проходит без того, чтобы средства массовой информации не сообщали о невероятных открытиях. В своих лучших достижениях это самая гуманная область человеческой деятельности, где сосуществуют научные открытия, клинические оценки, сострадание и забота о нашем благополучии. Репутация великолепных учреждений западного врачевания — ультрасовременных больниц — делает их важными вехами экономического развития.

После Второй мировой войны многие люди на Западе поверили в то, что основные задачи, связанные со здоровьем человека на всем его жизненном пути, решаемы. Несмотря на ошибки и новые проблемы, повсеместно существовала вера в постепенное преодоление основных угроз здоровью. А если уж кто и заболел, система здравоохранения примет меры — вылечит то, что может, и облегчит то, что не поддается лечению.

Однако такое единодушие находится под угрозой. Очарованные уникальными технологиями западной медицины, ее чудесными достижениями, мы не сразу заметили накопившиеся недостатки. США расходуют около 20 % ВВП на здравоохранение — и это гораздо меньше, чем нужно для всеобщего доступа к медицинским услугам, — а прибыльность от вложений в здоровье падает. Растут ожидания, растет и понимание медицинских рисков. В медицине бывают нежелательные эффекты. Нозокомиальные инфекции, побочные реакции, послеоперационные осложнения, широкий спектр ятрогенных заболеваний — все привычные риски высокотехнологичной медицины сопутствуют приносимому благу. Существуют и другие тревожные тенденции.

Нозокомиальные — полученные в больнице. От греческого nosus (заболевание) и komeion (лечить). Часто этот термин относится к инфекциям, приобретенным пациентом во время пребывания в больнице.

Ятрогенные — вызванные врачом. От греческого iatros (врач) и genic (обусловленный или вызванный кем-то). Относится к любому заболеванию, спровоцированному медицинским вмешательством. Ятрогенное заболевание — ключевой фактор риска в медицинском лечении.

Современную медицину нельзя представить без антибиотиков, но злоупотребление ими сказывается на иммунитете.

В США наблюдается повальная зависимость от выписываемых по рецепту опиатов. Передозировки опиатов привели к тому, что средняя продолжительность жизни американцев уменьшалась в течение двух лет подряд. Все хотят иметь высокотехнологичные медикаменты, чтобы побороть недуги, связанные с нарушением образа жизни: ожирение, диабет, сердечно-сосудистые заболевания, алкоголизм и депрессию. Из поля зрения пропали причины болезни и здоровья, мы зациклились на изощренных и дорогих медицинских «заплатках».

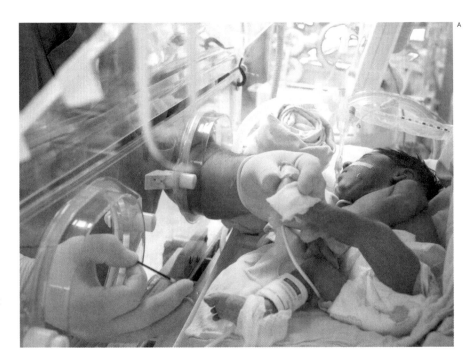

A

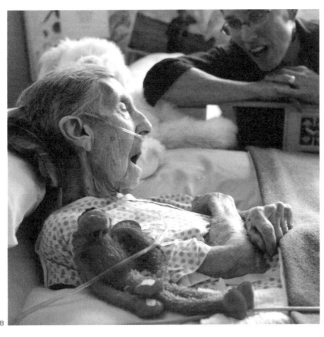

A   Сан-Сальвадор, Сальвадор. 1 мая 2013 года. Перинатальный уход в больнице ISSS (Сальвадорский Институт Социального Обеспечения). Такое медицинское вмешательство в самом начале жизни привело к резкому падению детской и материнской смертности, и это можно считать одним из крупнейших достижений медицины.

B   Смертельно больная пациентка получает лечение в ныне закрытом хосписе Святого Иоанна в Лейквуде, штат Колорадо. Хоспис принимал пациентов независимо от их платежеспособности, хотя у большинства из них были страховки Medicare или Medicaid. Обеспечение доступа к надлежащему медицинскому уходу перед смертью создает особые проблемы для систем здравоохранения, которые основываются на страховании и частных платежах.

Всё больше областей жизни требуют участия медицины. Многое когда-то считалось, пусть и с сожалением, частью человеческой жизни. Теперь это стало медицинским заболеванием, которое нуждается в лечении. Рождение ребенка, психологические изменения подросткового периода, застенчивость, уныние, облысение и даже старение — эти явления всё чаще рассматриваются как медицинские феномены. Такой подход может принести огромную пользу, ведь «естественные» роды могут завершиться трагически. Но неизбежен вопрос: что такое естественное функционирование организма человека и как отличить его от болезни? С учетом того, что лишь очень немногие медицинские вмешательства имеют нулевой риск, что нам выбрать? И когда мы должны обращаться к медицине за помощью? Смерть перестает быть неизбежным, пусть горьким и нежеланным, концом существования — она становится медицинским провалом. Слишком часто люди умирают в отделениях интенсивной терапии, подключенные к недремлющему оборудованию, напичканные лекарствами, исколотые катетерами и искалеченные. Жизнь — наивысшая ценность, но разве так мы хотим завершить ее? Разве это во благо?

Медицина всё чаще делает больше, нежели просто лечит. Мы присматриваем за здоровыми и ждем появления болезни в будущем. Казалось бы, это здравый смысл — плыть против течения, ведь профилактика лучше лечения. Но всегда ли медицинская профилактика лучше?

Жаркие споры в медицине из-за назначения статинов для снижения уровня холестерина ЛПНП в бессимптомном состоянии подняли важные вопросы: могут ли ожидаемые преимущества лечения оправдать предсказуемые побочные эффекты? Назначая лекарства здоровым людям, мы увеличиваем продолжительность жизни или количество больных? И не должны ли мы уделять приоритетное внимание немедицинской профилактике: физическим упражнениям, правильному питанию, отказу от курения? Помогает ли нам западная медицина? Хотя ее достижения не имеют аналогов, непохоже, чтобы мы достигли гармонии. Десятилетиями мы пользовались выдающимися успехами медицины — а теперь рискуем стать ее жертвами.

Всё еще уверены, что мы приносим больше пользы, чем вреда?

Холестерин ЛПНП — холестерин липопротеинов низкой плотности, часто называемый «плохим холестерином». При высоких уровнях вызывает заболевания сердца.

A Рабочие наблюдают за производством лекарств на фабрике. Хотя современные лекарства приносят реальную пользу, фармацевтическая промышленность является мощным двигателем «медикализации», в результате чего всё больше и больше аспектов человеческой жизни входят в сферу забот медицины. А у всех лекарств есть побочные эффекты.

B Рабочий на производственной линии проверяет маркировку на флаконе. Медицинские и фармацевтические вмешательства всё чаще направлены на улучшение качества жизни или на предотвращение заболеваний в будущем.

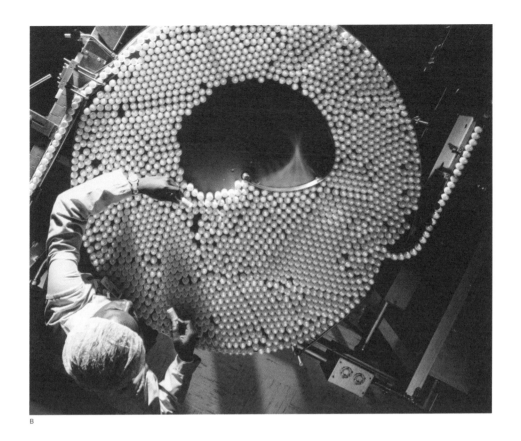

в

Сфера забот медицины выходит за обычные рамки здравоохранения. Медицина больше не ограничивается профилактикой и лечением.

Раньше медицина нападала на жестоких убийц — холеру, туберкулез и полиомиелит, — а теперь она всё больше занимается улучшением самочувствия. Зачем ограничиваться профилактикой, когда с помощью тех же методов можно улучшить повседневную жизнь? Если лекарства для людей с дефицитом внимания могут ускорить мышление тех, кого считают нормальными, почему бы не принимать эти лекарства? А учитывая то, насколько высоко мы оцениваем умственное превосходство, почему бы не сделать эти наркотики обязательными? Разве мы не должны раздавать их школьникам так же, как планшеты или учебники?

Генная инженерия повышает вероятность изменений от поколения к поколению — возможны как исключение нежелательных черт, так и внедрение желательных. Пусть ни один здравомыслящий человек не жалеет об исчезновении хореи Хантингтона. Но если не говорить о самых ужасных болезнях, то возникают глубокие и сложные вопросы: учитывая огромную пользу человеческого разнообразия, можем ли мы с уверенностью сказать, какие черты желательны, а какие — нет? И кто должен принимать такие важные решения? Медицинские технологии могут увести нас очень далеко от гуманности в лечении больных.

Один из самых насущных вопросов: можем ли мы себе это позволить?

Каждая страна борется за то, чтобы покрыть растущие расходы на здравоохранение. Причины роста затрат неоднозначны. Частично они связаны с феноменальными успехами медицины. Благодаря борьбе со старыми инфекционными заболеваниями, лучшему питанию, усовершенствованию санитарно-гигиенических условий и более здоровой окружающей среде ожидаемая продолжительность жизни, по крайней мере, на Западе, резко возросла. Но долголетие приводит к болезням старения. Редко излечимые в обычном смысле, они могут годами требовать всё более дорогостоящей медицинской помощи. С возрастом сопутствующие заболевания могут множиться, а полифармация зачастую оказывается дорогим подходом, не приносящим желаемого результата.

Изобилие принесло свои болезни. Нищета — первый из факторов, выделенных сэром Уильямом Бевериджем (1879–1963) в 1942 году и представляющих зло для общества (за нищетой следуют болезни, невежество, нездоровые условия жизни и лень), — практически исчезла, по крайней мере, на Западе. Смерть от голода — редкость. Но изобилие привело к резкому повышению уровня ожирения с сопутствующими ему расстройствами: диабетом, скелетно-мышечными проблемами, сердечно-сосудистыми заболеваниями. По-видимому, отчасти к этому привел высокий уровень экономического развития. Пищевая промышленность поставляет конвейерные полуфабрикаты по низким ценам. Окружающая среда всё больше способствует ожирению. Мы не только окружены дешевой и калорийной едой, но мы также садимся за руль или пользуемся общественным транспортом вместо прогулок. Трудовая жизнь становится всё более сидячей, свободное время часто проходит перед экранами. Комфорт убивает нас.

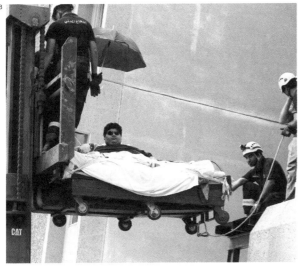

Хорея Хантингтона — также известна как болезнь Хантингтона. Наследственное дегенеративное расстройство мозга и нервной системы, ведущее к деменции и смерти.

Полифармация — обычно одновременное назначение нескольких лекарств. Хотя иногда это происходит по медицинским показаниям, термин «полифармация» часто используется в уничижительном смысле для обозначения злоупотребления лекарствами, особенно среди пожилых пациентов.

Среда, способствующая ожирению — в широком смысле относится к тенденциям во многих современных обществах, призывающим к потреблению нездоровой и высококалорийной пищи и затрудняющим доступ к физическим упражнениям.

A

Ожидания пациентов также резко выросли. Мы хотим чувствовать себя лучше,
жить дольше и счастливее — и мы обращаемся к медицине. Когда идем к врачу,
мы ожидаем лечения: для подверженных
стрессу врачей и пациентов консультация
заканчивается пачкой рецептурных блан-
ков, несмотря на то что многие заболевания имеют локальную природу.

Сегодня существует медицинско-промышленный комплекс.
Клиническая практика поддерживается сетью влиятельных
корпораций, которые ищут рынки сбыта для своих товаров
и услуг. Отчасти это приносит пользу. Но корпорации на-
целены на поиски прибыли. Чем шире сфера охвата медицины, тем больше состояний, которые поддаются лечению,
тем больше пациенты требуют лечения и тем выше прибыль.
В результате стоимость лекарств неумолимо растет, опере-
жая нашу возможность заплатить за них.

A   Пациенты сидят в приемном покое больницы
    Святого Иосифа во время забастовки врачей
    в Лиссабоне в июле 2012 года. Пропасть меж-
    ду затратами, ожиданиями и интересами врачей
    привела к политическим конфликтам в сфере
    здравоохранения.

B   Продающая страница для приложения «Ping An
    Good Doctor», коммерческой медицинской онлайн-
    платформы. Здравоохранение — это глобальный ры-
    нок, но платная медицина порождает важные вопросы
    о справедливости: бедные люди не могут получить до-
    ступ к хорошей медицинской помощи.

Кроме того, в медицине наблюдается кризис доверия. Доверие, столь важное в отношениях между врачом и пациентом, разрушается. Частично это связано с растущим знанием о погрешностях медицины, отчасти из-за наступления информационной эпохи и роста осведомленности пациентов. Но пациенты могут запутаться в узкоспециализированных областях современной медицины — опыт болезни растворяется в тайном языке биохимии.

С дороги, на которую ступила западная медицина, можно свернуть. Ее достоинства не обязательно должны сопровождаться недостатками. Медицина, которая когда-то, безусловно, помогала нам, может снова стать нам полезной. Но для этого ей необходимо измениться.

Медицинско-промышленный комплекс — общий термин для сети частных компаний, предоставляющих медицинские товары и услуги. Часто возникают вопросы о влиянии больших корпораций, нацеленных на получение прибыли, на уместность медицинских услуг.

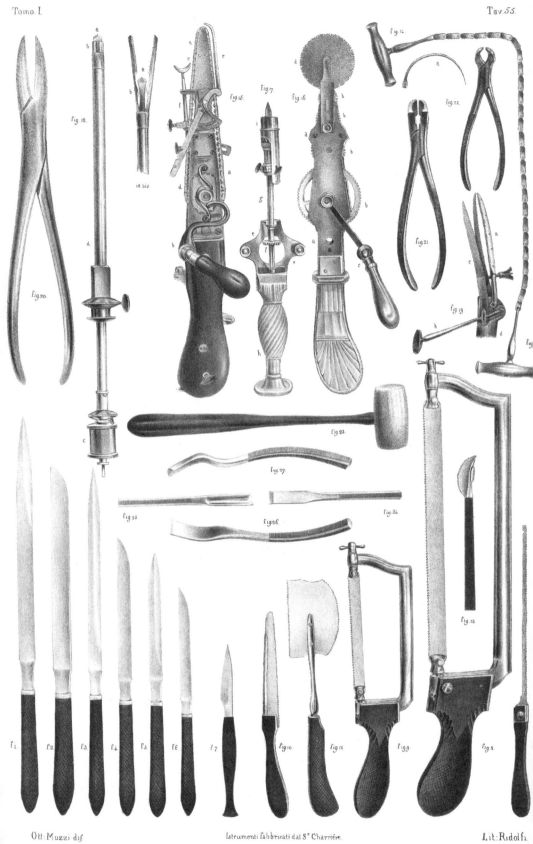

fig.18.

fig.15.   fig.17.   fig.16.   fig.14.   fig.22.

18 bis

fig.20.   fig.21.

fig.19.

fig.23.

fig.27.

fig.25.   fig.26.   fig.24.

fig.13.

f.1.   f.2.   f.3.   f.4.   f.5.   f.6.   f.7.   fig.10.   fig.12.   fig.9.   fig.8.

1. Развитие медицины

Бо́льшую часть своей истории западная медицина была почти бессильна. Ее снадобья и припарки, банки и кровопускания, лекарственные травы и компрессы были неэффективны или даже опасны.

Гиппократ, несомненно, является отцом западной медицины. Похоже, что Клятва Гиппократа — самый известный медицинский текст на Западе. Эту клятву до сих пор приносят при поступлении на некоторые медицинские факультеты, хотя современная версия, скорее всего, является адаптированной: в некоторых переводах клятва запрещает соблазнять рабов в больницах.

A   Английская миниатюра XI века. Справа — операция по удалению геморроя. Слева — пациента с подагрой лечат с помощью иссечения и прижигания ступней.

B   Хотя раньше действия врачей выглядели весьма эффектно, пользы от них почти не было. Постановка банок, страница из книги «Ophthalmodouleia», автор — Георг Бартиш, 1583 год.

C   В течение многих столетий кровопускание было самой популярной медицинской процедурой, но в конце концов оно оказалось бесполезным. Из «Книги о здоровье тела…» Альдебрандина Сиенского (конец XIII века).

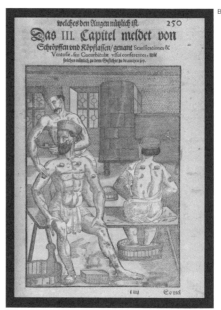

Гиппократ (460 — около 375 до н. э.) — отец западной медицины. Практиковал на острове Кос (у побережья современной Турции). Хотя достоверно не известно, является ли он автором всех приписываемых ему работ, его труды, так называемый «Корпус Гиппократа», оказывали огромное влияние на западную медицину на протяжении почти двух тысячелетий.

c

Медицина со времен Гиппократа и до середины XIX века была всего лишь способом отвлечь пациента от болезни, пока врач наблюдал, выздоровеет ли больной. Французский философ Вольтер (1694–1778) считал, что «Доктора — это те, кто прописывают лекарства, о которых мало знают, чтобы лечить болезни, о которых они знают еще меньше, у людей, о которых они не знают вообще ничего». Кое-что из вышеперечисленного резко изменилось в середине XIX века, но далеко не всё. Как писал великий историк медицины Рой Портер (1946–2002): «Влияние медицины лишь в небольшой степени зависит от ее способности излечивать больных. Это всегда было и остается правдой».

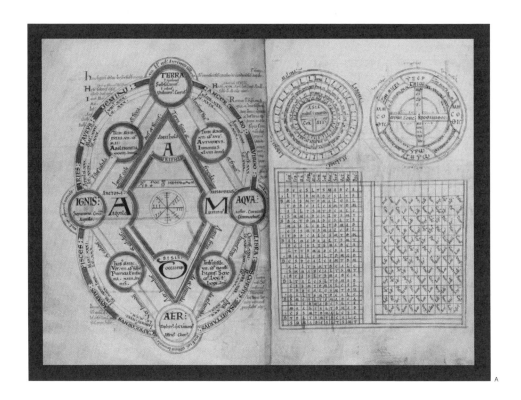

Медицина Гиппократа была натуралистической. В отличие от многих представителей религий древнего Ближнего Востока, Гиппократ не утверждал, что причины болезней кроются в божественном неудовольствии, сверхъестественном вмешательстве или черной магии. Здоровье и болезнь считались природными явлениями, поддающимися наблюдению и объяснению. Человек подчинялся тем же природным законам, что и остальная вселенная. Человек был познаваем — так же как и мир вокруг него.

A В «Корпусе Гиппократа» здоровье — это баланс четырех гуморов, или жидкостей, а нездоровье вызвано их дисбалансом. На фото — диаграмма Бюрхтферта из рукописи XII века показывает, что гумор считался частью естественного порядка вселенной.

B В Средние века цирюльники не только стригли волосы, они также были хирургами. Из «Гильдейской книги брадобреев Йорка» (1486) следует, что средневековая хирургия сочетала в себе анатомию, астрологию и религию. Хирурги рассчитывали положение Луны перед началом операции.

В то же время медицина Гиппократа была холистической и ориентированной на пациента. Врачу нужно было хорошо понимать, как его пациенты жили и работали, что они ели и пили, он должен был разбираться в том, что мы называем «семейным анамнезом». Лечение включало в себя тщательное наблюдение за больным: эмпиризм был сильнее теории.

в

Центральная концепция «Корпуса Гиппократа» — это понятие гумора (переводится как «сок тела» или «телесная жидкость»). Гуморы считались образующими жидкостями, из которых состоит человеческое тело, источником всех других человеческих жидкостей.

В книге «О природе человека» (440–400 до н. э., часть «Корпуса Гиппократа», хотя обычно она приписывается зятю великого греческого врача Полибу) говорится: «Тело человека содержит кровь, желчь, черную желчь и слизь, из них состоит природа тела, и через них тело и болеет, и бывает здоровым. Бывает оно наиболее здоровым тогда, когда эти части соблюдают соразмерность во взаимном смешении в отношении силы и количества и когда они наилучше перемешаны. Болеет же тело тогда, когда какой-либо из этих частей будет или меньше, или больше, или она отделится в теле и не будет смешана со всеми остальными».

Холистическая медицина сосредоточена на лечении человека в целом. Она фокусируется на эмоциональном, психологическом и духовном самочувствии. Иногда ее противопоставляют «аллопатической» медицине, которая имеет дело с отдельной болезнью.

Эмпиризм — теория, согласно которой познание основано на чувственном восприятии. Эмпиризм связывают с расцветом экспериментальной науки. Предпочтение отдается непосредственному опыту, а не теории или признанному авторитету.

Гуморы. Согласно гуморальной теории человеческое тело состоит из четырех жидкостей: крови, желчи, черной желчи и слизи. Каждой жидкости соответствует стихия (воздух, огонь, земля и вода) и связанное со стихией свойство (жар, сухость, холод и влажность). Каждый гумор связан с определенным органом: кровь — с сердцем, желчь — с печенью, черная желчь — с селезенкой, а слизь — с мозгом. Телесные жидкости также влияют и на темперамент. Сангвинический, или оптимистический, темперамент определяется кровью; холерический, или раздражительный, — желчью; флегматический, или невозмутимый, — слизью, а меланхолический — черной желчью.

Наблюдение за жидкостями, выделяемыми во время определенных болезней, легло в основу гуморальной медицины. При простуде и диарее наблюдали чрезмерное истекание жидкостей из организма, при лихорадке — потоотделение и жар. При некоторых болезнях изменялся состав мочи и фекалий. Кровь при высыхании становилась темной, почти черной. Гуморальная медицина предложила простую, но убедительную схему, которую никто до XVIII века всерьез не оспаривал. В XIX веке гуморальная медицина ушла в прошлое.

Подход Гиппократа до сих пор актуален, несмотря на то что он жил давно. Да, познания греков в анатомии были скудны и качество приписываемых Гиппократу произведений очень сильно разнится. Однако сторонники комплементарной и альтернативной медицины разделяют точку зрения Гиппократа благодаря его вниманию к лечению не отдельной болезни или расстройства, а «человека в целом».

У Гиппократа мы также находим важнейшую медицинскую триаду: отношения между врачом, пациентом и болезнью.

A

B

A Роспись рельефа работы Джотто: врач исследует мочу, принесенную пациентами. Влияние болезней на отходы жизнедеятельности организма, такие как моча и фекалии, возможно, способствовало развитию гуморальной теории.

B Деревянная статуя святого Космы (Испания, 1770–1850), покровителя фармацевтов, хирургов и стоматологов. Он выполняет уроскопию: считалось, что изучение мочи пациента дает информацию о состоянии его гуморов.

C «Колеса» образцов мочи использовались для диагностики заболеваний на основе цвета, запаха и вкуса мочи пациента. Это «колесо» образцов мочи из трактата «Epiphanie Medicorum», написанного Ульрихом Пиндером в 1506 году, применялось для диагностики заболеваний обмена веществ.

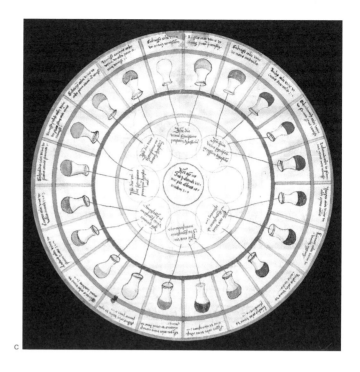

C

Эта триада Гиппократа и поныне является фундаментом медицины, но внимание, уделяемое каждой ее части, со временем меняется. Некоторые специалисты в настоящее время полагают, что акцент на болезнях проявляется в чрезмерной специализации — постоянно растущем числе узких специальностей. Такой подход «обесчеловечивает» медицину и не приближает нас к здоровью и благополучию. Концепция баланса, несмотря на многозначность слова «баланс», всё еще существует в современной медицине: мы говорим о сбалансированной диете, о равновесии биологической системы или о гомеостазе.

Вторым столпом античной медицины был Гален Пергамский.

Римлянин греческого происхождения, Гален был плодовитым медицинским писателем и отважным философом. Блестящий публицист и придворный врач императора-стоика Марка Аврелия (121–180 н. э.), Гален на протяжении более тысячи лет оставался непререкаемым авторитетом в западной медицине. Он систематизировал наследие Гиппократа — большинство практикующих врачей познакомилось с работами Гиппократа через Галена — и добавил сведения по анатомии и физиологии, полученные при вскрытии животных.

A

Гален Пергамский
(129 — около 216 н. э.) — второй врач античного мира после Гиппократа. Проделав большую работу, он популяризовал и систематизировал наследие Гиппократа.

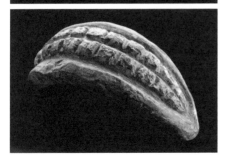

A Эмпирические и религиозные подходы к болезням часто смешивались в древней и средневековой Европе. Римские жертвоприношения (сверху вниз: трахея, плацента, зубы и рот) были оставлены в храмах исцеления теми, кто искал божественного исцеления. Обычно изображающие место болезни, эти натуралистические подношения были частью колдовского обряда, основанного на внушении.

B На этом стенде находятся копии римских хирургических инструментов — свидетельства того, что, наряду с просьбами о божественном вмешательстве, римская медицина зачастую была весьма практичной.

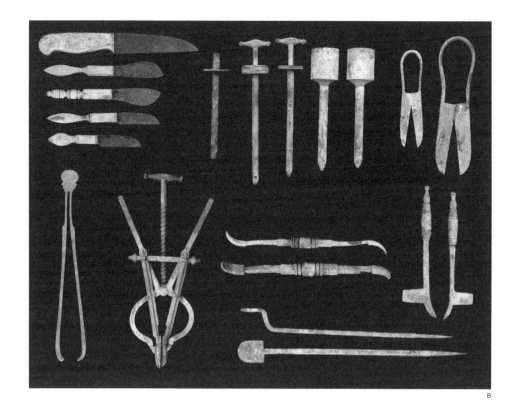

в

Хотя использование анатомических исследований для понимания работы органов оказало бы большое влияние на медицину, в древнем мире вскрытие человека было запрещено — как в Древней Греции, так и в Риме. Впоследствии Церковь также запретила подобные опыты. Гален в своих выводах был вынужден в значительной степени полагаться на вскрытие животных — и, как следствие, допускал ошибки. Он был весьма авторитетной фигурой в медицине, и поэтому его ошибки сохранялись в медицинской литературе более тысячи лет. Только в XIV веке, когда вскрытия людей получили большее распространение, врачи смогли получить знания о работе внутренних органов человеческого тела.

Большинство средневековых европейцев лечились где придется — у целителей, травников, алхимиков и семейных старейшин. Но официальная медицина была в значительной степени занята подгонкой неприглядной реальности человеческих болезней под теоретические модели великих учителей — Гиппократа и Галена. Верность теории взяла верх над клиническим опытом. В результате эмпиризм — вера в то, что доказательства и опыт дают истинное знание о мире, — сошел на нет.

A

Затем наступило Возрождение. Ученые спорят по поводу времени его возникновения и окончания, но известно лишь, что с XIV века интеллектуальная жизнь Европы изменилась. В каком-то смысле произошло возрождение авторитета Древней Греции и Рима — отчасти из-за заново открытых классических текстов, переведенных с арабского. Эпоха Возрождения вновь привела Европу к чудодейственным истокам западной цивилизации. В то время также проснулось и непреодолимое желание узнать больше об окружающем мире. Эмпиризм был таким же столпом эпохи Возрождения, как и почитание авторитета классиков. Одна из версий происхождения слова «эмпиризм»: от греческого empeirikos — врач, который опирается только на доказательства.

A Запрет на вскрытие был отменен. Изучение анатомии человеческого тела поставило под сомнение авторитет Галена и привело к значительному увеличению эмпирических знаний. Анатомическая иллюстрация из работы Якопо Беренгарио да Карпи (1523).

B Публикация книги «О строении человеческого тела» Андреаса Везалия в 1543 году превратила анатомию в венец медицины и помогла ниспровергнуть авторитет Галена.

Новые исследования должны были поставить под сомнение авторитет классиков. Это было делом времени. Авторитет классических ученых был основательно подорван, когда были отменены средневековые запреты на вскрытие человеческого тела.

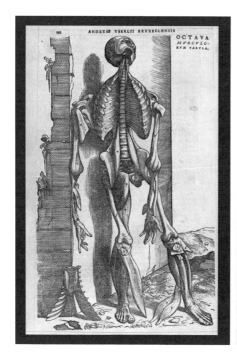
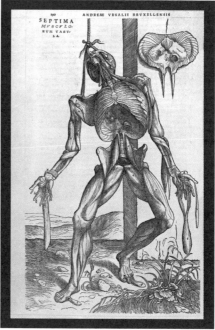

в

До XIV века аутопсия производилась редко.

Большинство вскрытий проводились на животных. Они служили лишь дополнительными подтверждениями выводов Галена, чей авторитет был непререкаем. Около 1315 года первое из известных публичных вскрытий человека было выполнено в Болонье итальянским врачом, анатомом и профессором хирургии Мондино де Луцци, также известным как Мундинус (около 1270 — 1326).

Аутопсия — дословно «иди и посмотри сам» — от греческого autos (сам) и opsis (зрение). Сейчас означает тщательное хирургическое исследование тела, вскрытие и установление причины смерти или наличия патологии.

Настоящим основателем современной анатомии является бельгийский врач Андреас Везалий (1514–1564), автор книги «О строении человеческого тела» (1543). Публикация этой книги сделала из анатомии преимущественно описательную медицинскую науку и на века превратила ее в венец медицины. Несмотря на огромное влияние Галена, Везалий превзошел своего учителя и указал на ошибки, совершенные Галеном, — ведь Гален препарировал только трупы животных. К примеру, оказалось, что нижняя челюсть человека образована из одной кости, а не из двух, а человеческая печень не состоит из пяти долей. Господство эмпиризма крепло.

Эпоха Возрождения перекинула мостик из средневековой в современную Европу. Другим связующим звеном была **научная революция**, начавшаяся в конце Возрождения и достигшая своего пика в эпоху Просвещения. Без нее современная цивилизация не состоялась бы.

Наиболее впечатляющими достижениями эпохи научной революции были открытия в астрономии и космологии. Работы сэра Исаака Ньютона (1642–1726) стали вершиной этой эпохи. Она началась, когда Николай Коперник (1473–1543) опубликовал свой труд «О вращении небесных сфер» (1543).

Научная революция, естественно, влияла и на медицину, в основном благодаря открытиям в химии и физике. Среди первооткрывателей был швейцарский врач Парацельс (около 1493 – 1541). Скорее мистик, чем ученый, он повлиял на медицину двояко. Во-первых, он хотел сбросить бремя авторитетов прошлого и основать медицинскую науку на современных принципах. Во-вторых, он пытался объяснить то, как работает организм, и найти причины болезней с помощью химии, с ее же помощью он хотел отыскать лекарства. Его труд о пищеварительном происхождении мочевых кристаллов и камней в почках был первой попыткой определить химические первопричины болезни. Парацельс, несмотря на все его противоречия и любовь к мистике и эзотерике, страстно верил, что путь к истине лежит через эксперимент и наблюдение. Иди и посмотри сам.

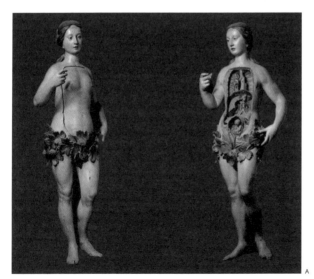

A Человеческих тел для вскрытия не хватало. Для обучения студентов и общего развития использовались модели тел, подобные этой анатомической Еве XVII века. В XVIII веке эти модели отличались невероятной детализацией, хотя современный человек испытывает тревожные чувства, глядя на сочетание женской красоты и обнаженных внутренностей.

B Только в XVII веке сэр Уильям Гарвей точно установил, что сердце — это насос, который непрерывно качает кровь в замкнутой системе. Этот рисунок митрального клапана взят из трактата «Tractatus de Corde» Ричарда Лоуэра (1669).

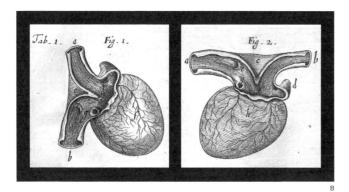

в

Научная революция — в широком смысле: период интеллектуальной трансформации в эпоху раннего Нового времени в Европе. В этот период возникли методы исследования и осмысления, характерные для современной науки. Хотя точные временные границы научной революции не установлены, считается, что она началась после публикации работы Коперника «О вращении небесных сфер» (1543).

У медицины был свой Коперник — английский врач сэр Уильям Гарвей (1578–1657) — и своя революция, начавшаяся с открытия им того факта, что кровообращение управляется сердцем. С помощью вскрытий и непосредственных наблюдений Гарвей опроверг идею Галена. В своей статье «О движении сердца и крови» (1628) он заявил: «Без сомнений необходимо заключить, что кровь в теле животных движется по кругу и находится в состоянии непрерывного движения». Человеческое тело, как и Небеса, хранило в себе тайны, не раскрытые древними.

Онтологически отдельная сущность описывает объект, который существует независимо от тела. Обычно считается, что такая сущность проникает в тело, вызывая болезненное или патологическое состояние. Наглядным примером такого подхода является «микробная» теория болезни. Онтологическую теорию можно противопоставить гуморальной, которая рассматривает болезнь как выражение дисбаланса в телесных жидкостях.

Вместе с исследованиями развивалась и классификация. Там, где последователи Гиппократа рассматривали болезни как нечто специфическое — для определенных людей, темпераментов и внешних условий, — новый научный подход всё чаще смотрел на болезни как на онтологически отдельные, отличные от самих больных. Это коренное изменение будет иметь серьезные последствия в дальнейшем.

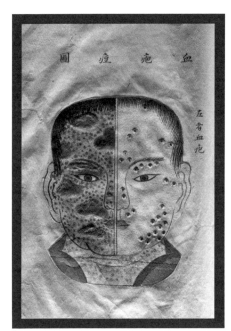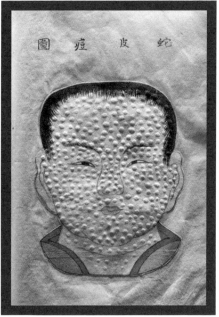

Медики до сих пор спорят о том, на что следует обращать больше внимания — на суть заболевания или на ощущения пациента?

Увлеченность ученых эпохи Просвещения классификацией достигла своего апогея в работах шведского натуралиста Карла фон Линне, более известного как Линней (1707–1778). В своей биноминальной системе классификации Линней придумал названия для объектов мира живой природы. Успех этой системы привел к желанию иметь такую же классификационную строгость в медицине. В XVIII веке был разработан ряд нозологий — систем классификации заболеваний, в том числе шотландским врачом Уильямом Калленом (1710–1790) и английским врачом Эразмом Дарвином (1731–1802).

Несмотря на оптимизм и интеллектуальное любопытство ученых эпохи Просвещения, медицина оставалась терапевтически отсталой.

A В XVIII веке возник большой интерес к классификации болезней. Из японского манускрипта «Главное об оспе» (автор — Канда Генсен, около 1720).

B Туберкулез был ужасной болезнью, тесно связанной с антисанитарными условиями городских трущоб XIX века. Так Сэмюэл Г. Мортон изобразил в 1834 году легочный туберкулез.

Были и исключения — прививка против оспы, применение хинина при лечении малярии, — но в целом терапевтическая медицина была неразвита. Анатомия раскрыла секреты функционирования организма, врачи стали лучше понимать болезни, но лечение оставалось загадкой. Лишь в XIX веке в результате развития стационарной медицины человечество стало постепенно побеждать в борьбе с болезнями.

После Французской революции 1789 года локомотивом развития западной медицины стала Франция. Революционное правительство положило начало новому систематическому, научному, практическому подходу с опорой на огромные парижские больницы. В начале XIX века в парижских больницах было больше койко-мест (20 000), чем в больницах всей Англии. Пациенты в основном были выходцами из необразованной и бесправной городской бедноты. Врачи имели доступ к огромному количеству клинических случаев, точнее, к тому, что в этих равнодушных учреждениях легко можно было назвать клиническим материалом. Многие страдали от болезней, связанных с бедностью и перенаселенностью города. Инфекционные заболевания, особенно туберкулез и брюшной тиф, были эндемичными.

Эндемичное заболевание — это заболевание, характерное для определенной группы населения, проживающего в конкретной местности. Может противопоставляться эпидемическому заболеванию, которое подразумевает быстрое распространение болезни, обычно за сравнительно небольшой период времени.

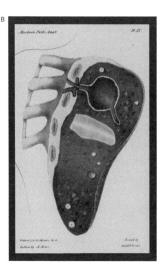
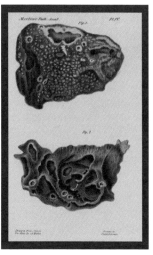

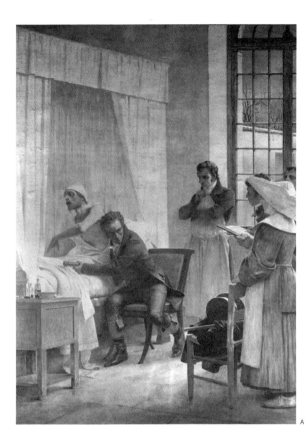

A Огромные больницы Парижа XIX века предоставили врачам широкие возможности для разработки новых и эффективных методов диагностики. На этой фреске (1816) Теобальда Шартрана врач Рене Лаэннек, изобретатель стетоскопа, осматривает пациента с туберкулезом перед студентами-медиками в больнице Неккера. Огромное количество пациентов, проходящих через парижские больницы, также положило начало статистическому анализу.

B Раскрашенная гравюра с рисунка, приписываемого Виктору Оверу, из цикла «Путешествие по Парижу» (Уильям Сэмс, 1825). Морг, или публичная покойницкая, в Париже на берегу Сены. Осмотр мертвых был так же важен для определения заболеваний, как и осмотр живых. Обследование умерших пациентов было необходимо для проверки ранее поставленных диагнозов.

А

До того как начала развиваться современная медицина, клинический прием происходил лишь при участии врача и его — почти всегда его личного — пациента. Расстройства и болезни считались чем-то очень интимным, своего рода проявлением отношений между пациентом и окружающим миром.

Роль врача состояла в том, чтобы разрешить загадку.

Парижская медицина разработала новый подход, получивший широкое распространение. В его основе лежало повреждение — безошибочный биологический маркер патологических изменений. Болезнь, видимая благодаря своим внешним проявлениям или под микроскопом, стала объективным явлением. Врачам советовали искать объективные симптомы, а не полагаться на слова пациентов. Если после постановки диагноза пациент умирал, посмертное вскрытие всё чаще показывало наличие патологии. Морг стал так же важен, как и больница.

Помимо выявления патологических изменений, медицинские учреждения собирали данные для статистики. Во французских больницах лечилось множество больных. При таком количестве пациентов и с таким малым объемом знаний о том, что действительно может им помочь, медицине приходилось использовать возможности и данные эпохи Просвещения для численной оценки результатов. Предвестник современных клинических исследований Пьер Луи (1787–1872), практиковавший в Париже, перестал использовать терапевтическое кровопускание, которое на протяжении тысячелетий было одной из основных медицинских процедур. Он доказал, что кровопускание никак не влияет на развитие пневмонии. Не имело значения, выпущена кровь рано или поздно, в больших или малых количествах.

> ## Хотя терапия в первой половине XIX века развивалась неспешно, в Париже были заложены основы современной диагностики, включающей три основных принципа.

Во-первых, диагностика с помощью физических методов сопутствовала клиническому осмотру. К тщательному визуальному осмотру пациента добавились один или несколько диагностических методов: пальпация (прикосновения), перкуссия (постукивание) и аускультация (прослушивание). Во-вторых, посмертное обследование использовалось для выявления патологических изменений. В-третьих, численный анализ. Огромное количество больных позволило накопить большой объем данных о конкретных заболеваниях.

Патология — исследование болезни, от греческого pathos (болезнь) и logos (наука). Патолог — врач, специализирующийся на исследовании болезней. Термин «патология» также используется для обозначения самого заболевания.

**Общественное здраво-
охранение** — «искусство
и наука предотвраще-
ния болезней, продле-
ния жизни и укрепления
здоровья посредством
организованных усилий
общества». Эта сложная
и спорная область прак-
тики напрямую связана
с разделом медицины,
занимающимся самы-
ми распространенными
заболеваниями с целью
обеспечения здоровья
населения.

Вся эта клини-ческая точность, систематизация и выявление пато-логических корней болезни дорого обходились париж-ской медицине.

Медицина всё больше сосредоточивалась на конкретной патологии в ущерб пациенту. Заболевания
рассматривались в отрыве от больных и среды,
способствовавшей их появлению и развитию. Воз-
растало сословное неравенство между врачами
и их зачастую необразованными пациентами. Медицина оказалась связана с самым парадоксальным
из современных учреждений — с больницей.

A Условия жизни бедных
людей, живущих в про-
мышленных городах, та-
ких как Глазго, привели
к ужасным последствиям
для общественного здо-
ровья. Из-за антисани-
тарии и плохого питания
погибло множество лю-
дей. Фотография Томаса
Аннана, 1868.

B В 1890-х годах Джейкоб
А. Риис задокументиро-
вал жизнь в трущобах
Нью-Йорка, где показа-
тели детской смертности
были невероятно высоки.
Из-за перенаселения ин-
фекционные заболевания
быстро распространя-
лись. Справа постояльцы
арендуют «койко-места»
за пять центов.

A

в

Несмотря на появление в больницах клинической научной медицины, значительные улучшения были связаны с изменениями в общественном здравоохранении — с заботой о здоровье всего населения, а не отдельных людей.

Рост промышленных городов в Европе, США и Японии в XIX веке, рост числа сельской бедноты (в 1750 году около 15 % населения Британии проживало в городах; к 1880 году — уже 80 %) и их скученное проживание в городских трущобах в условиях ужасающей нищеты привели к катастрофическим последствиям для здоровья. Показатели детской и младенческой смертности резко возросли, в некоторых районах продолжительность жизни опустилась ниже 20 лет. Недоедание, антисанитария, перенаселенность, несчастные случаи на производстве и болезни наносили серьезный урон. Рахит, брюшной и сыпной тиф, туберкулез, дифтерия, скарлатина, корь, ветряная оспа и, конечно же, холера — все эти болезни расцветали в грязи промышленных трущоб. В 1832 году около 7000 человек погибли в Лондоне во время вспышки холеры. В России в период с 1847 по 1861 год от холеры погибло более миллиона человек.

Помимо благотворительности, у власть имущих были веские причины решить эти проблемы. Болезни, расцветавшие в трущобах, выходили за их пределы, угрожая жизни обеспеченных людей. Между нищетой, безработицей и плохим состоянием здоровья существовала тесная связь: болезни недешево обходились государству.

В 1842 году английский общественный деятель Эдвин Чедвик (1800–1890) опубликовал свой доклад о санитарном состоянии трудящихся в Великобритании. Чедвик возложил вину за болезни бедных на антисанитарные условия жизни. Он был приверженцем распространенной миазматической теории заражения, согласно которой истоки болезни находятся в зловонных эманациях разложения и грязи. Он предложил решение: осушение заболоченных мест, сбор мусора и очистка воды.

В 1854 году, исследуя причины вспышки холеры в Сохо, хирург Джон Сноу (1813–1858) нашел источник эпидемии в воде водозаборной колонки на Брод-стрит. Хотя заболеваемость и так уже шла на спад, когда местные власти сняли с колонки рукоятку насоса и прекратили подачу воды, число смертей уменьшилось. Теория Сноу была подтверждена: холера переносилась водой. Как и Чедвик, Сноу настаивал на серьезных изменениях в сфере санитарии и водоснабжения. Лондонское лето 1858 года принесло «великую вонь». Темза настолько плохо пахла (хуже, чем открытая канализация), что парламентские прения пришлось приостановить. Не помогали даже вымоченные в хлорной извести шторы. Результатом стало спешное финансирование системы канализации инженера Джозефа Базалджета (1819–1891) и строительство набережной Темзы для увеличения скорости течения реки.

A

PRESERVATIVI PEL CHOLERA MORBUS
seconda il sistema di Saphir

Миазматическая теория заражения — ныне устаревшая теория, гласившая, что источником болезней является «плохой», или загрязненный, воздух (также говорили о «ночном» воздухе), который выделяется в результате разложения органических веществ. В настоящее время ее сменила микробная теория.

A В воду часто попадали человеческие фекалии, что вызывало эпидемии холеры. На картинке — мужчина из Нюрнберга использует множество шарлатанских средств защиты от эпидемии холеры. В 1832 году от холеры в Лондоне погибло около 7000 человек.

B Эпидемии холеры и других инфекционных заболеваний привели к усилению институтов общественного здравоохранения и контролю со стороны государства. Открытия в микробиологии сыграли в этом важнейшую роль. В 1849 году Генеральный совет по здравоохранению опубликовал эту карту распространения холеры в Лондоне.

C «Великая вонь» в Лондоне в 1858 году привела к временному закрытию парламента. Была профинансирована новая канализация. «Северный водосток», самая большая канализационная система в Лондоне, в Баркинг-Крик, рядом с насосной станцией Эбби Миллз. Канализация была детищем викторианского инженера Джозефа Базалджета (справа вверху).

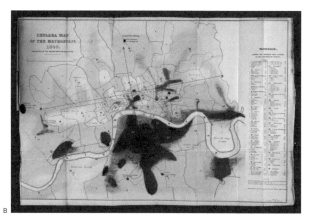

В

C

Хотя общественное здоровье пытались регулировать и ранее, случаи применения данных мер были единичными, а их эффективность не измерялась. Обычно регулирование использовалось для того, чтобы сдержать опустошающие эпидемии чумы, как это было в 1770 году с санитарным кордоном между Австрией и Османской империей. С середины XIX века во многих западных странах было разработано нечто вроде современной инфраструктуры общественного здравоохранения, которая в некоторых случаях была действенной.

Здоровье постепенно переставало быть сугубо личным делом. За ним начало следить государство, при необходимости активно вмешиваясь.

Микробиология — изучение крошечных организмов, не различимых невооруженным глазом. С возникновением этой дисциплины были сделаны важные открытия, касающиеся причин многих болезней, вызываемых патогенными микроорганизмами.

Ослабленная вакцина — это вакцина, созданная путем ослабления или снижения вирулентности патогена. Провоцирует иммунный ответ в теле человека, вызывая лишь легкую форму инфекции с ослабленными симптомами настоящей болезни. Таким образом организм вырабатывает постоянный иммунитет.

В конце XIX века открытия в микробиологии оказали большое влияние на новые государственные структуры здравоохранения. Развитие микробиологии повысило эффективность здравоохранения. Медицина начала осваивать терапию.

Идея, согласно которой за болезнями скрываются невидимые микроорганизмы, не была новой — разговоры об «анимакулосах» (маленьких животных) и «фомитах» (распространителях заболеваний) велись задолго до появления возможности устанавливать причины заболевания в лабораторных условиях. Прививка от оспы — вызывающая у здоровых людей легкую форму заболевания и создающая иммунитет к болезни — появилась еще в X веке в Китае. Но только во времена Луи Пастера (1822–1895) во Франции и Роберта Коха (1843–1910) в Германии ученые смогли определить микробное происхождение многих распространенных заболеваний.

A

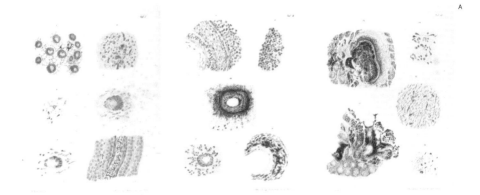

Пастер был скорее ученым, чем врачом. Изначально он энергично занимался проблемами сельского хозяйства. Он идентифицировал микроорганизм, ответственный за прокисание вина, и доказал, что нагрев вина до температуры 50–60 °C — пастеризация — решает эту проблему. Затем Пастер разработал вакцину против птичьей холеры: заражая здоровых цыплят «утратившими силу» микробами, он сумел вызывать иммунный ответ. Используя бациллу сибирской язвы, открытую Кохом, он разработал ослабленную вакцину против болезни, которая уничтожала скот во Франции. Но самое известное открытие Пастера — это вакцинация против бешенства. Инфекционный возбудитель бешенства — это вирус, а не микроб. Его невозможно было рассмотреть через микроскоп, и поэтому Пастер не понимал, с каким возбудителем инфекции необходимо бороться. Симптомы заболевания свидетельствовали о том, что оно поражает нервную систему — и Луи Пастер использовал спинной мозг кроликов, чтобы разработать ослабленную вакцину, которая излечивала бешенство у животных. В июле 1885 года он успешно вылечил девятилетнего мальчика. Его открытие получило всемирное признание.

Тем временем Кох, великий соперник Пастера, открыл возбудителей туберкулеза — болезни, долгое время приписываемой телосложению человека и окружающей среде, — а также внушавшей ужас холеры. Его методы проведения исследований сформировали бактериологию как науку и подтвердили микробную теорию заражения. В период между 1879 и 1900 годом бактериологи определили возбудителей наиболее серьезных инфекционных заболеваний.

A Туберкулез был одной из самых страшных и символичных болезней XIX века. Однако революция в микробиологии помогла понять природу основных инфекционных заболеваний. В 1882 году великий немецкий микробиолог Роберт Кох опубликовал свои выводы о туберкулезе в работе «Этиология туберкулеза». Он открыл возбудителя болезни: медленно растущую бактерию Mycobacterium tuberculosis. Эти иллюстрации взяты из издания «Этиологии туберкулеза» 1884 года.

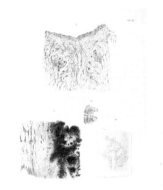
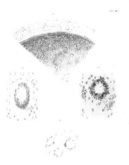

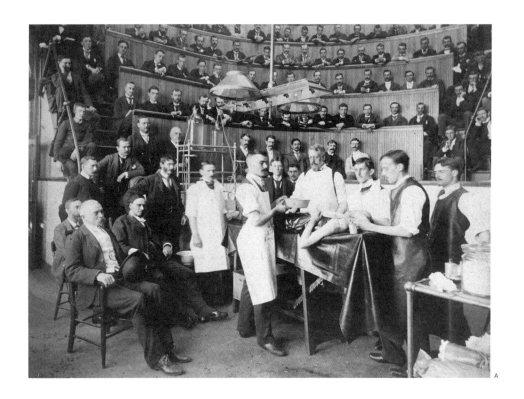

A

Микробная теория изменила хирургическую практику.

История хирургии изобилует ужасающими подробностями. До открытия обезболивающих средств в 1840-х годах хирургические операции были грубыми, болезненными и обычно смертельными. Если же операционные травмы не убивали пациента, то его приканчивали инфекции. Хотя открытие анестетиков помогло облегчить боль, уровень послеоперационной смертности от инфекций был всё еще высок.

Опираясь на исследования Пастера, английский хирург Джозеф Листер (1827–1912) начал использовать карболовую кислоту в качестве дезинфицирующего средства, что уменьшило число заражений. С открытием микробного происхождения инфекций антисептические средства быстро уступили место асептическим. Хирурги старались избавиться от бактерий, используя стерильные инструменты и соблюдая гигиену. Несмотря на значительные изменения, уровень смертности, как и уровень послеоперационных осложнений, был высок. Хирургические вмешательства не регулировались, и некоторые хирурги были весьма легкомысленны: к примеру, они могли удалить часть кишечника для того, чтобы «вылечить» запор. В начале XX века тонзиллэктомия была фактически «лекарством от всех болезней» — с ее помощью лечили все хронические детские инфекции. Несмотря на опасность, операция стала медицинским методом по умолчанию.

Создание микробной теории завершил бактериолог Александр Флеминг (1881–1955), случайно открывший пенициллин. Флеминг изучал стафилококки которые вызывают такие инфекции, как сепсис и пневмония. В 1928 году, возвращаясь из отпуска, он заметил, что на чашке Петри в его лаборатории образовалась плесень, уничтожившая стафилококки. Это и был пенициллин.

Но прошло более десяти лет с момента открытия Флеминга до первого испытания пенициллина как лекарственного средства. Австралиец Говард Флори (1898–1968) и его помощники в Оксфорде в 1941 году получили достаточное количество пенициллина, чтобы опробовать его на пациенте: полицейском, у которого началось заражение крови от раны, полученной во время обрезки роз. Через несколько дней он пошел на поправку. Позже, правда, пенициллин закончился, и полицейский умер. Затем производство пенициллина переместилось в США. Результаты впечатляли: уровень смертности от бактериальных инфекций резко сократился. Стало возможным лечить серьезные и зачастую смертельные инфекции, такие как пневмококковая пневмония, бактериальный менингит и эндокардит.

Пневмония перестала быть смертным приговором.

A Современная медицина немыслима без достижений хирургии. На фото — экспонаты операционной Парижской медицинской школы, 1890 год. Однако открытия в терапии были совершены позже и зависели от улучшений в других областях медицины, таких как наркоз.

B Лишь с началом использования дезинфицирующих средств число умерших во время операций стало уменьшаться. На фото — пульверизатор для антисептика со стеклянным распылителем.

C Антисептический паровой карболовый пульверизатор (на фото) был разработан для обработки операционной и персонала карболовой кислотой.

B

C

Врачи начали использовать вакцинацию в полную силу. Опираясь на работы Коха и Пастера, ученые нанесли удар по нескольким самым опасным болезням. Результаты впечатляли. Медицина остановила многих «всадников Апокалипсиса»: полиомиелит, грипп, менингит, дифтерию, гепатит, корь — для всех этих болезней были разработаны вакцины. Невозможно преувеличить значение этих медицинских достижений. Врачи спасли миллионы человек. Медицина творила чудеса.

Терапия шла рука об руку с диагностикой.

Рентгеновские лучи были открыты в 1895 году немецким физиком Уильямом Рентгеном (1845–1923). Они немедленно стали использоваться для диагностики. Рентгеновские аппараты становились всё сложнее. К 1920-м годам рентген грудной клетки стал обычным делом. К концу 1960-х годов рентгеновские лучи, совмещенные с компьютерными технологиями, позволили увидеть трехмерные изображения внутренних органов с помощью нового изобретения — сканирования методом аксиальной компьютерной томографии.

Впервые врачи посягнули на ранее недоступную им область — психиатрию.

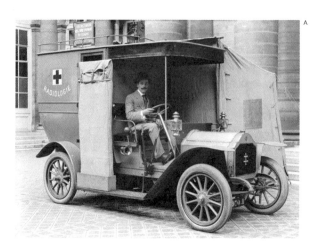

A

A Вскоре после открытия рентгеновских лучей их стали применять для диагностики, что позволило врачам четко рассмотреть плотные внутренние структуры тела, такие как кости. На фото — французский автомобиль 1913 года с рентгеновским аппаратом на борту.

B В XX веке были сделаны первые открытия в лечении психических расстройств. До этого врачи ничего не могли сделать с психическими болезнями. Некоторые виды лечения тех лет, такие как электросудорожная терапия, продолжали и продолжают вызывать споры. На фото — процедура излечения человека от нервно-судорожного тремора с помощью электротерапии.

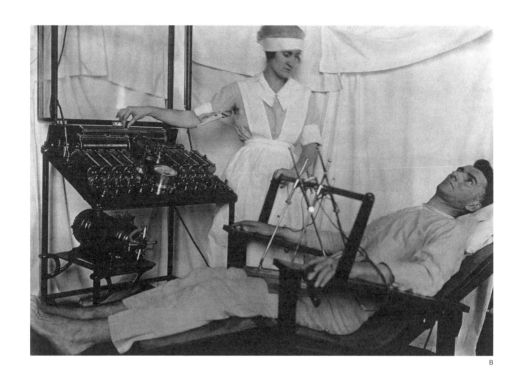

В 1949 году появился литий — мощный и эффективный психотропный (изменяющий настроение или сознание) препарат для лечения депрессии и биполярного расстройства. В 1950-х годах началась продажа первого поколения антипсихотических лекарств, таких как хлорпромазин. Их появление было встречено неоднозначно. С одной стороны, они показали высокую эффективность в борьбе с некоторыми симптомами психических расстройств. Но с другой, у них были тяжелые побочные эффекты, такие как паркинсонизм, симптомы которого включали дрожь, замедленные движения, оцепенелость, обусловленную напряжением мышц, и обеднение мимики.

Аксиальная компьютерная томография (АКТ) — это создание трехмерных изображений внутренних органов с помощью рентгеновских лучей. Съемка производится с нескольких ракурсов, которые затем совмещаются в одну картинку. Этот метод позволяет врачу увидеть мягкие ткани, что невозможно сделать, используя обычный рентген.

В 1955 году химик из компании Hoffmann-La Roche вывел формулу анксиолитического (снижающего тревогу) бензодиазепина. Это семейство лекарств в 1960-х годах выписывали чаще всего. Впервые данный препарат был выпущен на рынок в 1960 году компанией Hoffmann-La Roche под названием либриум, а в 1963 году — под торговой маркой «Валиум» и стал одним из самых выписываемых препаратов всех времен. Однако в случае бензодиазепинов оптимизм врачей сменился серьезными опасениями по поводу зависимости от этих лекарств и их побочных эффектов.

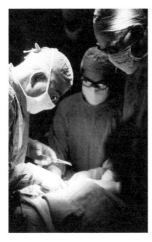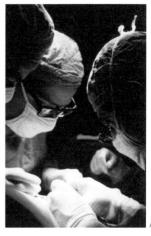

A

Хирургия в послевоенное время также сильно изменилась. В 1954 году в Бостоне, США, состоялась первая успешная операция по пересадке почки. А так как пересадка была сделана от одного близнеца другому, то подавления иммунного ответа не потребовалось. Затем, в 1967 году, южноафриканский хирург Кристиан Барнард (1922–2001) провел первую пересадку сердца. Хотя его пациент, Луи Вашканский, скончался всего через 18 дней после операции, следующий — Филипп Блайберг — прожил почти два года.

На первый взгляд кажется, что для медицинских технологий не существует границ. Всё еще чувствуется оптимизм эпохи Просвещения. Мы разгадали секреты ДНК, используя огромное количество данных, надежные диагностические инструменты и метод двойных слепых рандомизированных контролируемых исследований. С помощью нейробиологии и ее точных методов нейровизуализации ученые раскрывают самые глубокие тайны человеческого разума.

Поговаривают о скором достижении впечатляющего долголетия, даже бессмертия.

Но старые проблемы никуда не уходят, а новые возникают с пугающей скоростью. На место инфекционных заболеваний пришли болезни образа жизни — ожирение, диабет, некоторые виды рака, болезни сердца.

A После того как были открыты анестезия и асептики, антибиотики обеспечили дальнейшие успехи хирургии. Расширение знаний об иммунной системе и разработка иммунодепрессантов позволили осуществлять пересадки органов. Фотография сделана во время первой трансплантации сердца в США в 1967 году.

B 1960-е годы ознаменовались необычайным развитием хирургии сердца. Сердечные заболевания, такие как атеросклероз, при котором внутри артерий образуются бляшки, перестали быть смертельными. На фото — первопроходец американской хирургии доктор Майкл Дебейки за работой.

Подавление иммунного ответа в данном контексте означает преднамеренное и целенаправленное медицинское подавление иммунитета организма для предотвращения отторжения пересаженного органа. Такие заболевания, как СПИД и лимфома, также могут подавлять иммунную систему.

Нейробиология — научное исследование нервной системы. Это междисциплинарная область знаний. Нейробиологи стремятся понять, как работают нейроны и нервные цепи, а также как их работа влияет на здоровье, культуру и общество.

B

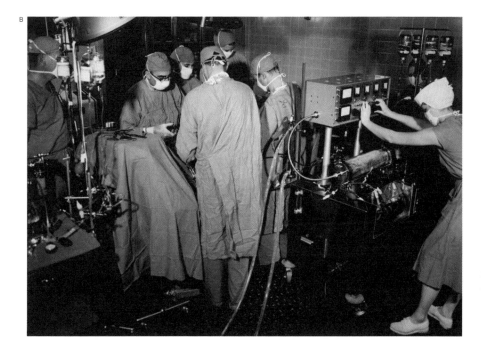

Болезни образа жизни больше не являются результатом действия какого-либо отдельного внешнего возбудителя или «микроба». Они зачастую устойчивы к лечению и являются болезненными реакциями на окружающую среду и жизнь. Эти заболевания — последствия выбранного нами образа жизни или результат не зависящих от нас обстоятельств. Несмотря на то что на здравоохранение тратится огромное количество денег — в 2015 году, например, потрачено около 10 % мирового ВВП, или 7,6 триллиона долларов США, — медицинский прогресс конца XIX — начала XX века пошел на спад.

В 1948 году была создана Британская государственная служба здравоохранения. В то время утверждалось, что после того, как будут устранены основные причины ухудшения состояния здоровья, потребность в услугах здравоохранения уменьшится. Тогда основными причинами ухудшения здоровья были заразные заболевания. Но в мировом масштабе всё получилось ровно наоборот.

Как ни парадоксально, но чем здоровее мы становимся, тем больше лечимся. Вместе с ростом количества видов предлагаемых медицинских услуг растет и число неврозов. Кроме того, лекарства от множества болезней — шизофрении,

Эпигенетика — это наука, изучающая наследственные изменения в экспрессии генов независимо от каких-либо изменений в основной последовательности ДНК. Она исследует биологические механизмы, включающие и выключающие различные гены.

А

болезни Альцгеймера, даже от простуды и ее опасного спутника — гриппа — до сих пор не изобретены. Успехи медицины приводят к непредвиденным последствиям. Из-за долголетия мы стали намного чаще болеть в старости. Можем ли мы быть уверены, что медицина движется в правильном направлении? Чем больше мы узнаем, тем больше понимаем, насколько сложно устроен человек. Несмотря на весь оптимизм в отношении расшифровки генома человека, мы пока не умеем лечить болезни путем редактирования генов. Не так много заболеваний зависит от отдельных генов. Большинство самых мучительных и изнурительных болезней, таких как депрессия, возникают скорее в результате сложного взаимодействия генов, среды, воспитания и удачи. Новая наука эпигенетика доказала, что факторы окружающей среды могут запускать экспрессию определенных генов — и эти изменения могут быть наследственными. Мы — нечто большее, чем простое отражение нашей ДНК. Не настало ли время умерить технологический задор, обходящийся нам так дорого?

в

Борьба с эпидемиями привела человечество к множеству чудесных открытий. Но времена изменились. Если долголетие приводит к старческой немощи, множеству заболеваний и потере возможности жить самостоятельно, должна ли медицина любой ценой поддерживать жизнь, независимо от ее качества? Какова цель медицины сегодня?

А Достижения в области нейробиологии помогли человечеству проникнуть в тайны мозга. Раскрытие этих тайн манит нас, но возможность прямого медицинского вмешательства в мозг поднимает этические вопросы.

В Рак — одна из самых пугающих современных болезней. Несмотря на увеличение продолжительности жизни больных, рак остается смертельным заболеванием. На фото — скрещенные лазеры точно направляют нейтронные пучки во время процедуры по лечению рака.

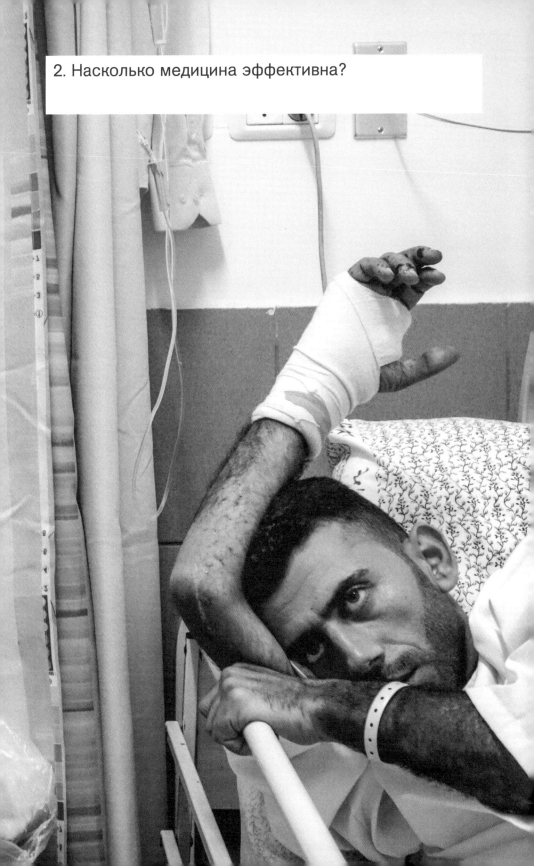

2. Насколько медицина эффективна?

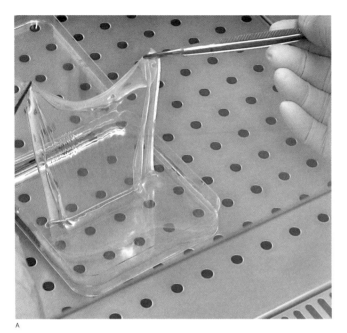
А

Паллиативная помощь — это помощь смертельно больным пациентам, для которых не назначают лечение. Такой вид помощи может включать в себя обезболивающие препараты, эмоциональную, психологическую и духовную поддержку.

Опиоиды — обезболивающие препараты, воздействующие на центральную нервную систему. Обычно используются для снятия острых или хронических болей. Они могут вызывать зависимость и приводят к смерти при передозировке, поэтому являются препаратами строгого учета.

В 2015 году врачи в Германии готовились перевести умирающего сирийского мальчика в отделение **паллиативной помощи**. Он страдал от буллезного эпидермолиза, редкого генетического заболевания, которое приводит к истончению и вздутию кожного покрова. Мальчик лишился кожи на всем теле, за исключением небольшого пятна на бедре. Лечение не помогало, и он принимал морфий, чтобы справиться с болью. Команда итальянских врачей опробовала экспериментальное генетическое лечение. Они взяли клетки из оставшегося участка кожи и использовали вирус для исправления дефектного гена LAMB3. Врачи выращивали колонии новых клеток в лаборатории. Эти колонии превратились в слои генетически модифицированной кожи, площадь которой почти равнялась площади всего тела мальчика. За две операции врачи пересадили кожу на его тело. Трансплантат начал приживаться через месяц. Новая кожа содержала стволовые клетки, позволяющие пересаженной коже самообновляться. Через два года после операции мальчик пошел в школу и теперь может играть в футбол. Ему не нужны мази или лекарства — ведь кожа была сделана из его собственных клеток — а значит, нет нужды подавлять отторжение трансплантата.

Это вызывает восхищение. Хотя ученые-генотерапевты и не хотели поднимать лишнего шума, эта история в духе невероятных достижений медицины прошлого: спасенная жизнь и надежда для миллионов людей, страдающих от мучительных заболеваний кожи.

Но есть и другая сторона медали, если вспомнить о прогрессирующем упадке общественного здравоохранения США. Передозировка наркотиков, в основном опиоидов, отпускаемых по рецепту, или их запрещенных заменителей — главная причина смертности в возрасте до 50 лет в США.

A В лаборатории с помощью генетической инженерии выращивают слой кожи для лечения редкого генетического заболевания, которое приводит к образованию пузырей на коже. Современная генетическая медицина вселяет надежду на разработку уникальных методов лечения.

B Мемориальная доска с именами жертв наркотической зависимости и насилия. Несмотря на серьезный технологический прогресс в некоторых областях медицины, из-за смертей от опиоидной зависимости в США, самой богатой стране мира, сокращается продолжительность жизни.

В 2015 году от передозировки наркотиков каждый день умирали 142 человека, то есть 52 000 за год. Большинство смертей были вызваны опиоидной зависимостью. В 2016 году количество умерших выросло почти до 63 000 человек, более 170 погибали ежедневно. Число умерших от передозировки превышает суммарное число погибших в ДТП и от огнестрельного оружия.

У этой запутанной ситуации множество причин, и многое оказало на нее влияние. Но без всяких сомнений, к этому приложило руку здравоохранение и выписывание рецептурных препаратов, вызывающих сильную зависимость. Эти препараты широко рекламировались. Истоки нынешней опиоидной эпидемии можно проследить до середины 1990-х годов, когда американские фармацевтические компании рекламировали легальные наркотики, особенно — медленно высвобождающийся полусинтетический опиоид оксиконтин. В результате сложной и чрезвычайно прибыльной маркетинговой кампании врачи активно рекламировали оксиконтин как универсальное болеутоляющее. Пациенты были уверены, что этот препарат безопасен. Они ошибались. Мало того что оксиконтин назначался в огромных дозах, он еще и вызывал сильное привыкание. Когда проблему признали и распространение лекарства было ограничено, люди обратились к фентанилу, который они покупали на черном рынке — и умирали от передозировки. К 2015 году более двух миллионов американцев были зависимы от опиоидов, в то время как 97,5 миллиона — 36,4 % населения — принимали болеутоляющие по рецепту.

Физическая и эмоциональная боль — вечные спутники человека.

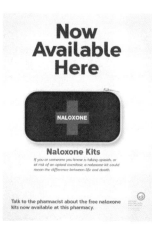

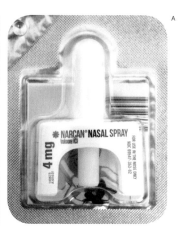

А

Фентанил — мощный синтетический опиоид, химическая формула которого похожа на формулу морфина, но фентанил мощнее в 50–100 раз. Препарат выписывали только по рецепту. Использовался он для того, чтобы помочь пациентам справиться с сильной болью.

A   В 2018 году министр здравоохране-
    ния США выпустил бюллетень, где
    призывал американцев носить с со-
    бой наборы налоксона. Препарат
    можно вводить в виде инъекций или
    назального спрея. Он приостанавли-
    вает действие передозировки опио-
    идов до прибытия спасателей.
B   Злоупотребление опиоидами в США
    распространено среди бездомных,
    в том числе живущих в этом лаге-
    ре для бездомных в Филадельфии.
    Причины этому — бедность, плохое
    состояние здоровья и ограниченный
    доступ к получению медицинских ус-
    луг в Америке.

Обезболивающие, которые, по понятным причинам, высоко ценятся людьми, на самом деле не лечат. Они не исцеляют болезнь или расстройство, а лишь смягчают болевые симптомы. В природе ничто не происходит без последствий.

Обезболивающие, как и большинство медицинских препаратов, обладают непредвиденными и часто нежелательными побочными эффектами. Опиоиды хорошо известны своей высокой аддитивностью. Качественное же лекарство должно стремиться к преобладанию пользы над вредом от воздействия.

В некотором смысле вопрос, насколько эффективна медицина, некорректен. Это слишком сложная область человеческой деятельности и опыта.

A Производство фармацевтических препаратов — большой бизнес. Каждое лекарство обладает побочными эффектами, и эти побочные эффекты — основная причина заболеваемости и смертности в мире. На фото — рабочие проверяют фармацевтическую продукцию на заводе в Израиле.

B Потребители хотят быть здоровыми и не испытывать боли. Они желают быстрого решения своих проблем. Соответствие этим ожиданиям — источник дохода для фармацевтических компаний и коммерческих поставщиков медицинских услуг. На фото — огромный склад, центр распределения фармацевтической продукции в Антверпене, Бельгия.

C Медицина и здравоохранение чрезвычайно политизированы. В США политическая борьба за программу Obamacare и попытки сделать здравоохранение более доступным выявляют остроту политических проблем. Деловые круги поддерживают частную медицину. На фото — республиканцы на конвенции в Огайо в 2016 году.

Некоторые способы лечения иногда хорошо действуют на определенных людей. Другие способы лечения хорошо действуют на одних, но плохо (или никак) — на других. Но опиоидный кризис в США выявляет несколько факторов, стимулирующих развитие медицины в опасном направлении.

Некоторые из этих факторов, к примеру, ошибки в назначении лекарств, свойственны медицине. Их можно исправить. Другие же исправить невозможно. Возьмем, например, ожидания пациента от лечения. Благодаря успехам медицины, а также из-за внутреннего стремления к счастью люди принимают лекарства, чтобы избавиться от страданий, не обращая внимания на природу или причины своих страданий.

Могущественные корпорации, особенно фармацевтические компании, понимают, какую огромную прибыль смогут принести лекарства, которые исполнят желания покупателей и избавят их от страданий. Понятно, что врачи тоже хотят облегчить страдания своих пациентов. В частной, платной медицине подобное положение дел приносит прибыль, и могут возникнуть серьезные конфликты интересов. Пациенту нужен мощный болеутоляющий препарат. Врачу платят за то, чтобы он выписывал этот препарат. Естественно, врач будет его выписывать. Недостаток времени у врачей в сочетании с желанием пациентов получить помощь может привести к аналогичному результату.

Врач, который придерживается консервативного подхода о том, что боль иногда нужно терпеть, и который предупреждает, что лекарство со временем может навредить больше болезни, плывет против течения.

Опиоидная зависимость ужасна. Но впереди нас ждет гораздо более серьезная медицинская катастрофа: устойчивость к антибиотикам.

Устойчивая бактерия   Обычные бактерии

Устойчивая бактерия делится   Обычные бактерии

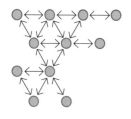

Устойчивая бактерия продолжает размножаться

Устойчивые бактерии

A

Отчасти это результат непрекращающейся дарвиновской борьбы за выживание между бактериями и антибиотиками, которые на них воздействуют. Бактериям свойственны случайные мутации, и некоторые из этих мутаций создают иммунитет; некоторые бактерии также приобретают иммунитет от других бактерий. Но широко распространенные злоупотребления этим механизмом, такие как чрезмерное назначение лекарств, их массовое использование в животноводстве и несоблюдение пациентами режима приема лекарств, ускоряет этот процесс. Появляются такие супербактерии, как МРЗС, или микробы с множественной лекарственной устойчивостью.

К сожалению, туберкулез (ТБ) — который, как мы думали, ограничивался только историей санаториев Викторианской эпохи — возвращается. В какой-то степени это действительно объясняется естественным отбором: выживают штаммы бактерий, устойчивые к антибиотикам. Эти бактерии размножаются. Но возвращение туберкулеза также является результатом плохого лечения и несоблюдения пациентами режима приема лекарств. Появляются штаммы туберкулеза, устойчивые к терапии первого ряда — также известные как штаммы туберкулеза с множественной лекарственной устойчивостью (МЛУ-ТБ). Больше всего тревожит появление штаммов, устойчивых к терапии второго ряда. Их также называют штаммами туберкулеза с широкой лекарственной устойчивостью (ШЛУ-ТБ).

A   Бактерии могут выработать иммунитет к антибиотикам за счет высокой скорости размножения. Этот естественный процесс усугубляется злоупотреблением антибиотиками. Болезни, которые мы когда-то считали почти побежденными, возвращаются.

B   Туберкулез снова может стать смертельно опасным из-за приобретенной лекарственной устойчивости. В чашке Петри слева бактерии не развиваются рядом с антибиотиками. В правой чашке Петри растут устойчивые к антибиотикам бактерии.

МРЗС (метициллин — резистентный золотистый стафилококк) — тип бактерий, который иногда называют супербактерией. Он устойчив ко многим антибиотикам первого ряда и поэтому с трудом поддается лечению. Несмотря на то что такая бактерия может жить на поверхности кожи, не причиняя вреда, она может стать опасной для уже больных людей.

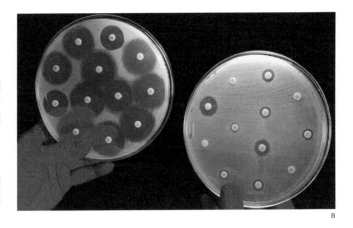

в

Сбой рынка — экономический термин, используемый для описания ситуаций, при которых распределение ресурсов в условиях свободного рынка неэффективно. Такая ситуация может сложиться на рынке, когда спрос не соответствует предложению.

Кризис антибиотиков — это еще и пример сбоя рынка в сфере медицины. Такой сбой может стоить жизни. Большинство фармацевтических компаний больше не проводят исследования антибиотиков. За последние сорок лет на рынок были выведены только два новых класса антибиотиков.

Статины обычно принимают на протяжении всей жизни, и поэтому они приносят долгосрочную прибыль. Антибиотики же принимают недолго. Поскольку антибиотики создают для устранения непосредственной угрозы жизни пациента, производители часто вынуждены снижать цены на подобные лекарства. Из-за того, что бактерии вырабатывают сопротивляемость к антибиотикам в течение короткого времени, их быстро снимают с продажи. Таким образом, фармацевтическим компаниям экономически невыгодно инвестировать деньги в создание антибиотиков.

Оценивая эффективность медицины, полезно также рассмотреть те проблемы, с которыми она сталкивается каждый день. Необходимо понять, что недостоверность — неизбежное свойство медицины. За исключением врачей, мало кто знает, насколько медицина недостоверна, несмотря на все утверждения о ее научности. Рассмотрим лечение двух распространенных заболеваний: рака простаты и боли в спине.

Рак простаты — самый распространенный вид рака у мужчин. В 2012 году в мире было зарегистрировано более 1,1 миллиона случаев, то есть 15 % всех видов рака у мужчин. Самые высокие уровни заболеваемости были отмечены на Мартинике, в Норвегии и во Франции. В Великобритании около 10 000 людей ежегодно умирают от рака простаты, в США — около 30 000.

Обычно рак простаты выявляется с помощью первичного анализа крови на простатспецифический антиген и подтверждается биопсией. Существует несколько вариантов лечения: наблюдение или бдительное ожидание без терапевтического вмешательства, хирургическое удаление простаты (простатэктомия), гормональная терапия или один из видов лучевой терапии. Иногда совмещают несколько методов лечения. Трудно определить, какие разновидности рака опасны для жизни. Рак простаты, скорее всего, можно назвать причиной смерти. Но уверенности в этом нет. Потенциально опасные побочные эффекты возникают как при использовании лучевой терапии, так и при проведении простатэктомии: проблемы с пищеварением, недержанием мочи и потенцией. Многие страны избегают проводить регулярные обследования населения на предмет рака простаты именно из-за проблемы излишнего лечения. Врачи и пациенты находятся в затруднительном положении. Обнаружить рак простаты относительно просто. Но, выявив болезнь, необходимо ее лечить — и здесь возникают проблемы. Рак пугает многих людей, и они выбирают операцию или лучевую терапию, чтобы навсегда избавиться от него. Однако во многих (но не во всех) случаях подобное лечение не требуется.

Большинство решений о лечении принимаются в условиях неопределенности.

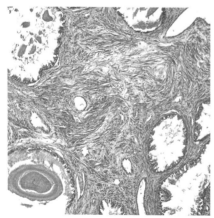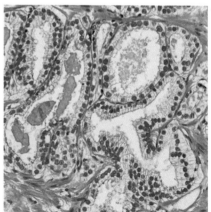

A

A Рак простаты (на световой микрофотографии) — одна из самых частых причин смертности. Врачи и пациенты сталкиваются со сложностями в лечении этого вида рака. Трудно определить, какие разновидности рака простаты опасны для жизни. Из-за серьезных побочных эффектов до сих пор неясно, какой вид лечения лучше.

B Люди ждут от современной медицины всё больших свершений. Медицинские технологии становятся всё дороже. Но эффективность здравоохранения снижается. Многим пациентам, лечащимся от рака простаты, терапия не помогает. На фото — пациент с раком простаты, проходящий внешнюю лучевую терапию.

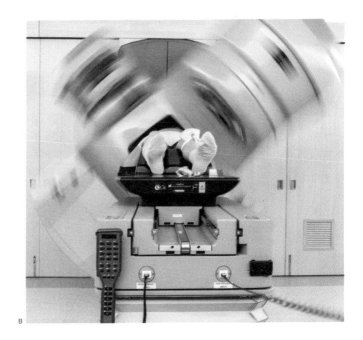

B

Обследование населения — это регулярные обследования групп людей, обычно без каких-либо симптомов, для выявления отдельных расстройств. При этом становится ясно, кому требуется лечение или более тщательное обследование.

МРТ (магниторезонансная томография) — тип сканирования с использованием мощных магнитов и радиоволн для получения подробных изображений внутренних органов. В отличие от рентгена, МРТ является более безопасным методом исследования.

Теперь рассмотрим использование МРТ при болях в спине. Боль в спине является одной из основных причин инвалидности в мире. Хотя МРТ практически безопасна и способна показать удивительно подробное изображение позвоночника, такая томография дорого стоит, занимает много времени и почти полностью бесполезна во многих, если не в большинстве случаев. Боль в спине чаще всего неспецифична, что на языке врачей означает, что никто не знает ее причин. При такой боли томография может оказаться бесполезной. Позвоночник подвержен естественному износу. С возрастом позвоночник изменяется, так же как кожа теряет свою эластичность, а волосы — цвет и блеск. МРТ позвоночника может выявить эти изменения, но не может указать, являются ли они источником боли. Научное исследование показало, что МРТ выявляет аномалии у 87 из 100 здоровых людей, у которых спина не болит.

Проблема не ограничивается болью в спине и МРТ позвоночника. Наше тело несовершенно, и оно меняется с возрастом. В последние годы получили распространение коммерческие диагностические тесты для потребителей — от секвенирования ДНК для выявления факторов риска до сканирования мозга для обнаружения предраковых структурных изменений. Но эта информация почти не помогает выявить клинически значимые изменения. Без профессиональной врачебной оценки и объяснения результатов эти тесты способны лишь посеять тревогу. Как же может не пугать «научное» доказательство наличия отклонений или явно угрожающие тени и очертания на отлично выполненной МРТ? Такие доказательства ведут к неврозам и тратам на дальнейшую дорогостоящую и бессмысленную диагностику, что, в свою очередь, может привести к бесполезному лечению с риском возникновения побочных эффектов.

В третьей главе мы увидим, что не только неопределенность и беспокойство способствуют чрезмерной диагностике и лечению. Определения болезней расширяются, а диагностические пороги снижаются. Количество людей, находящихся в предболезненном, или преморбидном, состоянии, растет. Таким людям назначают лечение. У этой тенденции есть и хорошие стороны. Врачи могут обнаруживать заболевания, потенциально опасные для жизни, до того, как они станут неизлечимыми. Но такой подход также может привести к выявлению у людей бессимптомных изменений в организме, которые не являются смертельно опасными. Чрезмерная диагностика вредна. Врачи диагностируют болезни у здоровых людей, назначают ненужные и вредные лекарства и процедуры и бесцельно расходуют ценные ресурсы системы здравоохранения.

А

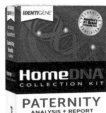

В

Когда количество лечебных мероприятий растет, а состояние здоровья не улучшается, мы сталкиваемся с избытком медицины.

Рак щитовидной железы — это классический пример чрезмерной диагностики и избыточного лечения. В научной статье 2013 года американский исследователь Хуан Брито и его коллеги доказали, что использование всё более совершенных диагностических методов привело к трехкратному увеличению выявления папиллярного рака щитовидной железы за последние 30 лет, при этом уровень смертности никак не изменился.

Секвенирование ДНК — это определение точного порядка расположения четырех химических блоков, из которых состоит молекула ДНК, для получения данных о генетической информации, переносимой в определенной цепочке или сегменте ДНК.

A Предприниматель Джаред Розенталь запустил мобильный центр для тестирования ДНК в 2010 году. Взрыв популярности диагностики, нацеленной непосредственно на потребителя, означает, что люди могут узнать о своем здоровье больше. Насколько эта информация помогает получить полезные клинические результаты — другой вопрос.

B Вполне возможно, что информация, полученная благодаря тестовым наборам для определения ДНК в домашних условиях, потребует тщательного медицинского истолкования. Изобилие информации — это не всегда хорошо. Тестирование может привести к чрезмерной диагностике и дорогостоящему ненужному лечению.

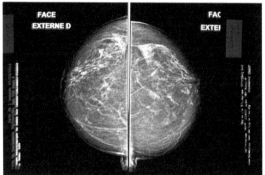

Рандомизированное контролируемое исследование (РКИ) — это исследование, при котором испытуемых случайным образом разделяют на две или более группы, чтобы испытать лекарство. Одной группе дают настоящее лекарство, а другой (ее также называют группой сравнения или контрольной группой) — иное лекарство, плацебо или вообще ничего не дают. Этот метод — эталон для исследований медикаментов или иных видов медицинских вмешательств.

Эмболия — это закупорка артерий, обычно вызванная тромбом или пузырьками крови. Если закупоренный сосуд препятствует притоку крови к жизненно важному органу, человек может серьезно заболеть или умереть.

A

Фармацевтические компании и производители медицинского оборудования весьма заинтересованы в расширении перечня заболеваний. В 2014 году австралийский медицинский журналист Рэй Мойнихан и его коллеги изучили 16 государственных и международных руководств для врачей, опубликованных в период с 2000 по 2013 год, которые определяли диагностические критерии для 12 распространенных заболеваний в США. В десяти руководствах определение болезней расширялось, в одном — сужалось, для остальных пяти данные не были однозначными. Руководители 12 комиссий и около 75 % составителей этих руководств были связаны с фармацевтическими корпорациями и промышленностью.

Медицинское обследование населения также может привести к чрезмерной диагностике и ненужному лечению. Обследование населения — это регулярные осмотры групп людей, обычно без каких-либо симптомов, для выявления отдельных расстройств. С помощью обследований можно выявить тех, у кого симптомы еще не появились, но существует риск заболеть опасными болезнями, например раком. Но у такого подхода есть и отрицательные стороны. Скрининговые тесты не всегда точны — они могут давать как ложноположительные, так и ложноотрицательные результаты. Когда заболевание диагностируется, — хотя болезнь может никогда и не развиться, — люди начинают принимать ненужные лекарства.

За последние несколько десятилетий ученые-медики сформировали серьезные требования к доказательной медицине. Данные, полученные в результате рандомизированных контролируемых исследований (РКИ), должны заменить традиционные подходы в клинической медицине.

Были и достижения: врачи, руководствуясь указаниями по лечению, основанными на данных исследований, значительно продвинулись в лечении астмы и профилактике послеоперационной эмболии. Но РКИ часто фокусируются на отдельных расстройствах, не обращая внимания на сложные сопутствующие заболевания. В реальной жизни сопутствующие заболевания встречаются часто, так что уместно задать вопрос — насколько полезны РКИ для клинической практики? Буквальное следование стандартным указаниям может привести к тому, что врачи в конечном счете перестанут обращать внимание на пациентов, а будут руководствоваться лишь статистически усредненными данными. Фармацевтические компании часто проводят исследования, и между разработчиками лечебных руководств, основанных на фактических данных, нередко возникают конфликты интересов. Профессор Стэнфордского университета Джон Иоаннидис выявил еще одну серьезную причину для беспокойства. Он доказал, что многие опубликованные исследования не вызывают доверия.

A Плановый осмотр груди может помочь в выявлении ранних стадий рака. Однако он также может дать ложноположительные и ложноотрицательные результаты, что приводит к постановке ложных диагнозов. На фото — маммография и маммограмма.
B Испытание лекарства от остеопороза на пациентке из России. Рандомизируемые контролируемые исследования — основа доказательной медицины. Но этот метод акцентирует внимание на отдельных расстройствах, что поднимает вопросы о возможности использования результатов.

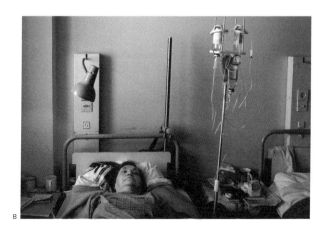

B

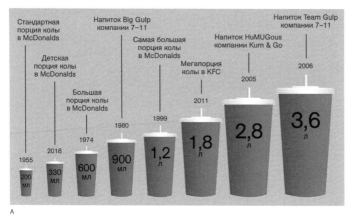

Стандартная порция колы в McDonald's
Детская порция колы в McDonald's
Большая порция колы в McDonald's
Напиток Big Gulp компании 7—11
Самая большая порция колы в McDonald's
Мегапорция колы в KFC
Напиток HuMUGous компании Kum & Go
Напиток Team Gulp компании 7—11

2006
2005
2011
1999
1980
1974
2018
1955

200 мл
330 мл
600 мл
900 мл
1,2 л
1,8 л
2,8 л
3,6 л

A

A   Многие из самых распро-страненных в мире бо-лезней — заболевания сердца, ожирение, скелетно-мышечные расстройства — связаны с современным образом жизни. Увеличение стандартной порции газиров-ки — лишь один из сопутству-ющих факторов.

B   Гиппократ говорил, что физи-ческие упражнения — лучшее лекарство. Заставить людей заниматься спортом — одна из важнейших задач обще-ственного здравоохранения. На фото — пожилые люди, страдающие от лишнего веса, на занятии по акваэробике.

Горькая ирония современной жизни заключается в том, что мы избавились от множества вещей, угрожавших нашему здоровью, но теперь нас убивают болезни, вызванные чрезмерным достатком, к примеру, ожирение. По данным Всемирной организации здравоохранения (ВОЗ), у каждого третьего взрослого человека в мире наблюдается избыточный вес, а каждый десятый болен ожирением. Последствия ожирения — сердечно-сосудистые заболевания, инсульт, гипертония, депрессия, скелетно-мышечные нарушения, такие как остеоартрит, диабет 2-го типа и некоторые виды рака, включая рак молочной железы, толстой кишки, почек, печени и эндометриоз — наносят серьезный вред здоровью. При этом почти 800 миллионов человек в мире страдают от калорийной недостаточности, а 2 миллиарда — от дефицита питательных микроэлементов. Да-да, можно одновременно страдать от ожирения и дефицита питательных веществ.

Ожирение, как и другие заболевания образа жизни, наглядно демонстрирует ограниченность медицины. Врачи могут лишь консультировать по вопросам изменения образа жизни и более-менее исправлять последствия патологических реакций организма на чрезмерное увеличение веса и потребления алкоголя, наркотиков или табака. Из 74 способов лечения ожирения, зарегистрированных Всемирным институтом Маккинси в 2014 году, только четыре были связаны с собственно терапией. Личный выбор человека и стоящее за ним устройство общества гораздо более важны в борьбе с болезнями образа жизни, чем медицина.

Нет более спорной и запутанной области медицины, чем психиатрия.

Томас Сас (1920–2012), профессор психиатрии в Сиракузском университете в Нью-Йорке, сделал спорное, но широко известное заявление — он объявил психические заболевания мифом. Сас говорил, что тело может заболеть, а разум — нет. Психическое заболевание — это метафора, перенос критериев медицины, излечивающей тело, на психику и поведение. Такой перенос далеко не безвреден. «Медикализация» душевных страданий — «фабрика безумия» — служит как профессиональным интересам психиатрии, так и потребностям общества в регулировании и контроле. Французский историк и философ Мишель Фуко (1926–1984), не являвшийся психиатром, утверждал, что объективная «наука» о психических заболеваниях не имеет ничего общего ни с реальностью, ни с наукой, ни со здоровьем. Психиатрия, по Фуко, — это завуалированный метод общественного контроля за поведением тех, кто стремится жить иначе.

Эти идеи, связанные с антипсихиатрией 1960-х и 1970-х годов, сегодня кажутся не столь актуальными. Эпоха сумасшедших домов, где сотни пациентов содержались в нечеловеческих условиях, ушла в прошлое. В наши дни основная проблема — борьба за получение соответствующей психиатрической помощи для тяжелобольных людей. Люди с серьезными психическими расстройствами могут быть очень уязвимы. Борьба за их свободу вступает в противоречие с необходимостью обеспечить им уход и поддержку.

Дефицит питательных микроэлементов — недостаток в рационе необходимых витаминов или минералов. Термин часто используется для обозначения заболеваний, таких как анемия и пеллагра, вызванных недостатком микроэлементов. По оценкам экспертов, более 2 миллиардов человек в мире страдают от дефицита питательных микроэлементов.

Антипсихиатрия — общий термин для обозначения политического и социального движения, зародившегося в 1960-х годах. Последователи этого движения утверждают, что психиатрия — это не наука, а принудительная форма социального контроля, которая скорее нанесет вред пациентам, чем вылечит их. Самые известные представители этого движения — социолог Р.Д. Лэйнг в Великобритании и психиатр Томас Сас в США.

в

A

Селективные ингибиторы обратного захвата серотонина (СИОЗС) — наиболее часто выписываемое семейство антидепрессантов в мире. СИОЗС поднимает уровень серотонина в мозге. Этот гормон выполняет множество функций, к примеру, передает нервный импульс в синапсах. Большое количество серотонина находится в желудочно-кишечном тракте. Серотонин считают регулятором настроения.

Диагностическое и статистическое руководство по психическим расстройствам (DSM), публикуемое Американской психиатрической ассоциацией, содержит объективные критерии для диагностики психических расстройств. Самая последняя версия руководства (DSM-5) вызвала полемику по поводу объективного существования некоторых расстройств.

Даже в период расцвета антипсихиатрии ее сторонники сталкивались с тем, что душевные расстройства реальны и их симптомы стабильны. Всё это свидетельствовало в пользу существования реальных, а не вымышленных болезней.

Использование лития для улучшения состояния больных биполярными расстройствами, развитие нейробиологии, возможности нейровизуализации, выявление связей между определенными генами и психическими заболеваниями, а также воодушевление, связанное с появлением нового поколения селективных ингибиторов обратного захвата серотонина (СИОЗС) для лечения депрессии, привели к мнению о том, что психическое заболевание не является социальным конструктом.

Но проблема осталась. Психические заболевания по-прежнему подвержены влиянию общественных норм.

Лишь в 1973 году гомосексуализм был убран из настольной книги американских психиатров — Диагностического и статистического руководства по психическим расстройствам (DSM). Можно обратиться и к более ранним примерам подобного абсурда — в 1851 году американский врач Сэмюэл Картрайт (1793–1863) опубликовал статью, в которой предлагалось ввести новое психическое расстройство, вызывающее у рабов желание бежать, — драпетоманию.

Новая версия DSM-5, опубликованная в 2013 году, вызвала споры о том, являются ли психиатрические состояния заболеваниями. Определения болезней были расширены, в руководство добавили новые заболевания — интернет-зависимость, застенчивость у детей, невротическую экскориацию. В Великобритании Отдел клинической психологии Британского психологического общества разнес в пух и прах новую редакцию руководства. По словам представителей Отдела, подобные критерии диагностики ненадежны и неточны.

Рассмотрим депрессию, которая в настоящее время является одной из основных причин инвалидизации в мире, наряду со скелетно-мышечными заболеваниями. Как это случилось? Дадим слово одному из наиболее известных людей, страдавших от тяжелой депрессии, — Уильяму Стайрону (1925–2006), автору книги «Выбор Софи» (1979).

A Психиатрия занимается поведением и мышлением человека, а также химическими процессами в мозге. Ее часто критикуют за то, что она насаждает социальные нормы, а не лечит болезни. На фото — сторонники антипсихиатрического движения протестуют против того, чтобы дети принимали лекарства.

B На фото — очередь пациентов на получение лекарств в Хэфэе, Китай. Больница лечит около 100 пациентов, страдающих психическими заболеваниями. Только 10 % из 30 миллионов китайцев, страдающих в настоящее время депрессией, получают надлежащую медицинскую помощь.

A   На фото — группа фран-
цузов в 1973 году на пер-
вичной терапии, пред-
назначенной для поиска
детских психологических
травм. Психиатрия — са-
мая спорная область
медицины. Несмотря
на некоторые важные
фармакологические
разработки и всё более
сложные неврологиче-
ские теории функциони-
рования мозга, многие
вопросы психических
расстройств остаются
ся нерешенными или
спорными. Сохраняют-
ся разногласия между
биохимическим и психо-
социальным подходом
к психическим расстрой-
ствам.

В конце 1980-х годов Стайрон писал о лечении депрессии: «Напряженные
и до смешного непримиримые разногласия в современной психиатрии — рас-
кол между теми, кто верит в психотерапию, и сторонниками фармакологии — напоминают медицинские споры XVIII века (делать кровопускание или не делать)
и подчеркивают необъяснимую природу депрессии и трудность ее лечения».

Прошло 25 лет с момента написания
этих строк. Изменилась ли ситуация?
Большинству пациентов, страдающих
от депрессии, скорее всего, выпишут
антидепрессанты. Национальная медицинская библиотека США сообщила, что
в 2017 году 40–60 % людей, принимаю-
щих антидепрессанты, стали чувствовать
себя лучше. Но почувствовали улучшение
и 20–40 % тех, кто принимал препараты
плацебо. Исследования показывают, что
в целом антидепрессанты способствуют
улучшению состояния у трети пациентов.

Факты также говорят о том, что когнитивно-поведенческая терапия так же эффективна, как медикаментозное лечение, и что дальнейшее улучшение состояния пациентов достигается путем сочетания этих двух подходов. Получается, что лекарства, которые влияют на уровень серотонина в мозге, столь же эффективны — но не обязательно более эффективны, — чем безлекарственное лечение, нацеленное на прерывание негативного цикла мышления и улучшение настроения. Насколько хорошо мы понимаем самое распространенное психическое расстройство наших дней? Насколько мы ушли вперед по сравнению с одним из психиатров, лечивших Стайрона, сказавшим: «Если вы сравните наши знания с открытием Америки Колумбом, то нам Америка еще неизвестна; мы пока открыли разве что один островок на Багамах».

Противоречия между ожиданиями от современной медицины и реальностью человеческой уязвимости наиболее ярко проявляются в медикализации смерти.

Предсказания футурологов смешны и не выдерживают никакой критики. Тело изнашивается, и рано или поздно приходит смерть.

Мы хотим прожить дольше и облегчить наши страдания, поэтому мы обращаемся за помощью к врачам.

Рассмотрим продолжительность жизни. Долголетие не является заслугой исключительно клинической медицины, но всё равно впечатляет. По данным журнала The Economist, средняя продолжительность жизни за последние четыре поколения увеличилась больше, чем за предыдущие восемь тысяч. В 1900 году средняя продолжительность жизни в мире составляла около 32 лет, сейчас — 71,8. Во многом (но не во всем) это связано со снижением детской и младенческой смертности. И человечество смогло не только увеличить продолжительность жизни, но и с помощью обезболивающих средств сделать смерть менее болезненной.

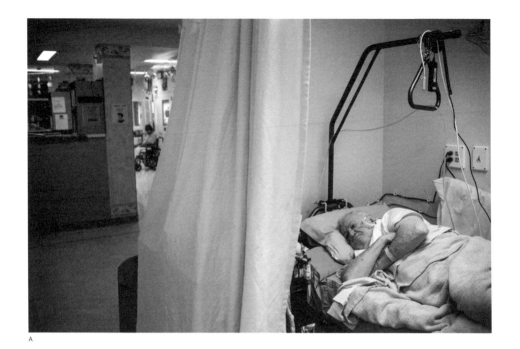

A

У этих достижений есть и непривлека-
тельная сторона. Смерть перестает быть
естественным концом жизни и становится
медицинским событием, а учитывая цель
медицины — ее провалом.

Мы больше не умираем спокойной и естественной
смертью. Мы умираем в палатах интенсивной терапии, подключенные к множеству устройств, или
в домах престарелых, среди чужих людей. Можно
ли назвать такую медицину правильной? Что мы
продлеваем — жизнь или страдания умирающих?

Несколько недель перед смертью пациента заполнены чередой больничных медицинских процедур, большинство из которых бесполезны. За последние 20 лет
вышло множество исследований, доказывающих, что «неэффективное лечение»
в конце жизни получило широкое распространение. Причин тому много: слож-
ность точного предсказания наступления смерти, различные защитные механизмы психики — от боязни медицинского персонала получить судебный иск до
нежелания, чтобы в их смену кто-то умирал. Врачи хотят доказать родственникам
умерших, что они сделали всё возможное. Более 10 % американцев с раком на
последней стадии проходили химиотерапию в последние две недели жизни, несмотря на то что результата от нее не было. 8 % перенесли операцию на последней неделе жизни. Неужели вот так мы хотим провести свои последние дни?

Акцент на высокотехнологичной терапии, подразумевающей подсознательный отказ принять неизбежность смерти, может привести к недооценке хорошей паллиативной помощи. Если врач понимает неизбежность смерти, он может облегчить процесс умирания пациента и дать ему шанс использовать оставшееся время своей жизни наилучшим образом. В настоящее время предсмертный медицинский уход сводится к бесплодным попыткам отсрочить неизбежное с помощью высоких технологий. Выгоду от такого подхода получают лишь производители и поставщики платных медицинских услуг. Необходимы ли такие большие затраты на эти бесплодные попытки?

Медицина может достигать впечатляющих результатов. Но, как мы видим на примере медикализации смерти, увеличение количества применяемых лекарств не всегда приводит к увеличению эффективности лечения. Иногда чрезмерное лечение вредно: выгода неочевидна, а затраты внушительные. Как мы увидим в третьей главе, существуют весомые причины, благодаря которым медицина проникает во всё большее число областей человеческой деятельности.

Неужели жизнь — это только медицинский феномен?

A   На фото — Джим Робелен, пациент хосписа с диагнозом «терминальный легочный фиброз», в Калифорнийском медицинском центре, первом тюремном хосписе, созданном в 1991 году.

B   Столетние близнецы Полетт Оливье и Симона Тьо в 2016 году в доме престарелых. Считаются самыми старыми близнецами в мире.

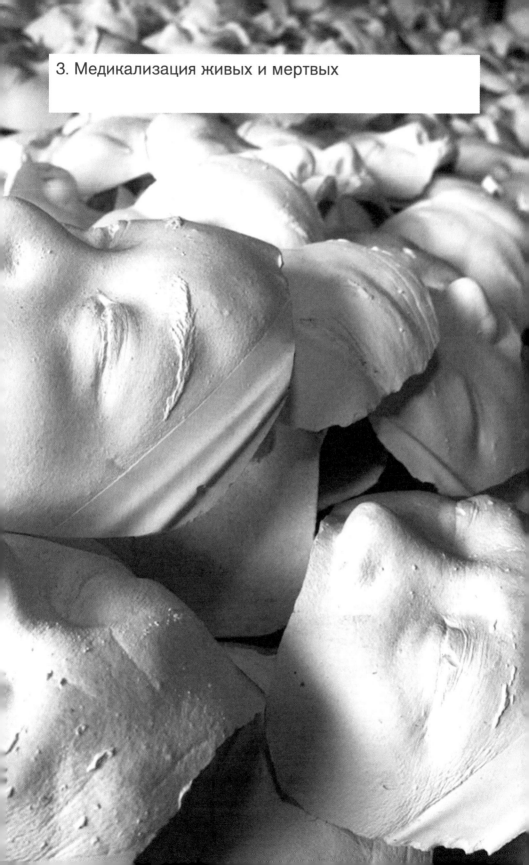

3. Медикализация живых и мертвых

А

Что мы считаем медицинской проблемой? Что в нашей жизни требует внимания врачей? Что такое здоровье и болезнь? Проще говоря, когда и из-за чего мы должны записаться на прием к врачу?

Возможно, было время, когда на этот вопрос было можно дать простой ответ. В те долгие тысячелетия, когда медицина была бессильна перед болезнями, люди шли к врачу только тогда, когда у них возникали

проблемы, которые угрожали уничтожить тело или разрушить разум. Для всего остального были священник, травник и собственные силы человека.

Но медицина стала более успешной в борьбе с болезнями. Мы узнали много нового о том, как работает человеческое тело и разум. Мы захотели избавиться от всё новых и новых препятствий на пути к нашему благополучию.

Коммерческие поставщики лекарств стремятся увеличить сбыт своих товаров и услуг, поэтому область внимания медицины расширилась.

A   Первый магазин Walgreens открылся в Чикаго в 1901 году. Сейчас эта сеть аптек — крупнейшая в Европе и США.

B   Duane Read — самая популярная аптека в Нью-Йорке. Американцы — одни из самых крупных потребителей лекарств в мире.

Этот процесс называют медикализацией. Социологи впервые определили это понятие в 1960-х годах. В центре их внимания была медикализация «отклонений». По этой теории, за антисоциальным поведением стояли медицинские и биологические причины, а не проблемы общественных норм. Социологи отметили, что человеческий опыт всё больше подвергается контролю врачей. Проще говоря, медикализация — это процесс, при котором обычные жизненные ситуации, такие как роды, синдром дефицита внимания и гиперактивности (СДВГ) у детей, алкоголизм, менопауза, эректильная дисфункция у пожилых мужчин, старение, бесплодие, уныние, ожирение, облысение, и даже смерть становятся медицинскими проблемами. Кроме того, жестокое обращение с детьми, насилие в семье, азартные игры и распущенность — сексуальная зависимость — всё это стало предметом внимания врачей.

В ранних работах медикализация подвергалась критике. В своем классическом труде «Немезида медицины» (1976) австрийский философ Иван Иллич (1926–2002) открыто осуждал промышленную медикализацию в современном обществе. «Когда общество настолько организовано, что медицина может превратить в пациентов тех, кто еще не родился, кто только что родился, женщин во время менопаузы или во время другого „рискованного возраста", люди неизбежно отдают часть своей свободы в руки врачей». «Немезида медицины», оставаясь захватывающей и обязательной к прочтению книгой, уже устарела. В настоящее время медикализация рассматривается как результат гораздо более сложного сочетания процессов.

Медикализация — сложный процесс с несколькими составляющими, в результате которого всё больше и больше областей человеческой жизни и личного опыта рассматриваются как медицинские проблемы и, следовательно, требуют медицинского вмешательства. Часто это связано с переоценкой переживаний, считавшихся ранее нормальными. Они объявляются болезнями или расстройствами, подлежащими лечению.

Синдром дефицита внимания и гиперактивности (СДВГ) — расстройство поведения, обычно возникающее в раннем детстве. Характерные симптомы: невнимательность, гиперактивность и импульсивность — как правило, слабеют с наступлением зрелости, но некоторые взрослые также страдают от них.

A

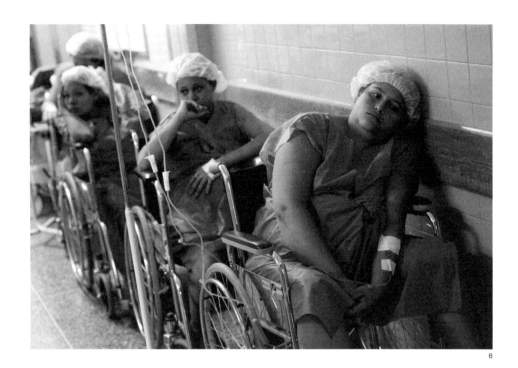

В наши дни термин «медикализация» включает в себя множество аспектов. Врачебное дело не теряет своей важности, ведь оно может как усилить медикализацию, так и сдержать ее, выступая регулятором доступа к государственным медицинским услугам. Но другие участники этого процесса также важны. Общественные движения, и в том числе движения пациентов, занимаются поисками медицинских толкований — «диагнозов» — для различных расстройств. Медицинский диагноз может позволить пациенту законодательно требовать медицинскую помощь и противодействовать стигматизации, что особенно важно для психиатрических заболеваний, хотя есть свидетельства того, что приписывание биологических причин психическим заболеваниям усиливает стигму. Социальное обеспечение (например пособие по инвалидности), специализированные образовательные учреждения, оборудование рабочего места под нужды больных — всё это требует медицинского освидетельствования. Чтобы получить выплаты по страховке, необходим диагноз.

A   Множество медицинских буклетов в отделении хирургии наглядно демонстрирует, что современная медицина проявляет интерес почти ко всем областям человеческой жизни.

B   Беременные женщины ждут своей очереди на процедуру кесарева сечения. Медикализация родов принесла огромные выгоды. Однако по-прежнему существуют разногласия по поводу степени медицинской вовлеченности в процесс рождения ребенка.

Рассмотрим в этом контексте необычный путь, который прошел метилфенидат, стимулятор центральной нервной системы (более известный как риталин). Прежде чем рассказать об этом лекарстве, необходимо взглянуть на болезнь, в лечении которой оно используется, — СДВГ. Здесь, как и во многих других рассматриваемых проблемах, обнаруживается противоречие.

Сканирование мозга показывает, что у людей с СДВГ изменена префронтальная кора. Синдром дефицита внимания передается по наследству. Несмотря на то что люди с СДВГ хорошо реагируют на лечение, врачи не могут прийти к согласию по поводу этой болезни. Некоторые медики, признавая реальность проблем, которые испытывают люди с СДВГ, не считают, что такой синдром существует. Они утверждают, что синдром дефицита внимания — это наборы поведенческих паттернов. В большинстве случаев метилфенидат хорошо их регулирует, хотя и обладает побочными эффектами: это лекарство может ограничивать рост организма и подавлять аппетит. Однако из этого не обязательно следует, что существует отдельное заболевание, вызывающее такие паттерны поведения.

Риталин — самая известная торговая марка метилфенидата, стимулятора центральной нервной системы. Используется главным образом для избавления от СДВГ, но также и для лечения наркомании. Основное воздействие — улучшение и поддержание внимания.

Независимо от того, существует СДВГ или нет, его диагностируют всё чаще. В США после астмы это второе по частоте заболевание, диагностируемое у детей.

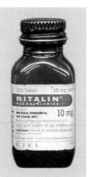
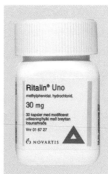
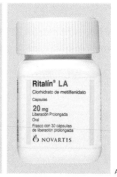

А

A В последние годы показатели использования риталина, стимулятора центральной нервной системы, резко возросли. Первоначально это лекарство использовалось для лечения СДВГ, главным образом у школьников. Сейчас его принимают всё больше взрослых, желающих увеличить свой умственный потенциал.

B МРТ (на диаграмме) показывает, что у людей с СДВГ наблюдаются определенные изменения в префронтальной коре головного мозга. Несмотря на это, не все признают, что СДВГ — это болезнь, считая ее описанием поведенческих паттернов.

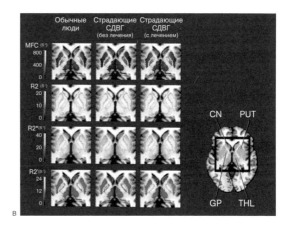

В период с 2004 по 2014 год количество больных в Великобритании удвоилось, в 2014 году их было около миллиона. Многие утверждают, что это произошло из-за повышения уровня осведомленности об этом синдроме. Противники же говорят, что люди становятся жертвами медикализации обычного человеческого поведения, особенно это касается мальчиков. Лечим ли мы болезнь или корректируем поведение, которое учителя и родители считают нежелательным? Споры продолжаются.

Без сомнения, продажи метилфенидата невероятно высоки — потому что он работает. Дети быстро реагируют на лекарство: внимание улучшается, становится легче контролировать возбуждение, агрессивное поведение сходит на нет.

Но это лекарство принимают не только дети. Взрослым, особенно в США, тоже ставят диагноз СДВГ. Всё чаще взрослые люди находят у себя признаки СДВГ. Нежелательные стороны своего поведения или личности они приписывают симптомам болезни. Люди пытаются самостоятельно поставить диагноз и найти лекарства для его устранения.

BUY MODAFINIL WITH BITCOIN
It's as easy as sending an email!

FREE SAMPLES

FREE! MORE INFO

A

Метилфенидат действует как на страдающих СДВГ, так и на здоровых людей, которые хотят улучшить свои когнитивные способности. Это лекарство улучшает память и концентрацию внимания. Модафинил, обычно помогающий при нарушениях сна, на 10 % повышает умственные способности — память, навыки планирования, контроль настроения. Препараты-усилители когнитивных функций широко продаются в интернете. Студенты принимают их при большой учебной нагрузке или во время экзаменов. Учащиеся хотят улучшить свои умственные способности и оценки.

Усилители когнитивных функций — это лекарства, используемые для улучшения работы мозга. Воздействуют на память, интеллект, концентрацию внимания и когнитивные способности в целом.

Использование усилителей когнитивных функций порождает этические проблемы. Принимать допинг в профессиональном и олимпийском спорте запрещено, хотя он чрезвычайно эффективен. Допинг — это жульничество. Цель Олимпиады — определить победителя в спорте, а не в фармакологии. Но почему-то повседневное использование препаратов-усилителей когнитивных функций считается нормальным, хотя это такой же допинг. Если некоторые принимают эти лекарства, почему бы остальным не сделать то же самое? Цель обучения — академическая успеваемость. Лекарства могут в этом помочь. Зачем учащимся отказываться принимать их? Зачем соглашаться на меньшее?

A Интеллект является одним из наиболее ценных на рынке качеств, особенно в сверхконкурентных условиях современного рынка труда. Неудивительно, что любое лекарство, которое дает когнитивные преимущества, например модафинил, становится золотым дном для фармацевтических компаний. Текст рекламы слева: «Покупайте модафинил за биткойны! Это так же просто, как отправить email. Образцы — бесплатно».

B Лекарственные препараты или их производные могут использоваться для повышения физической работоспособности. Даже малейшее преимущество имеет решающее значение в современных спортивных состязаниях. Поэтому антидопинговый контроль является важным компонентом олимпийского и коммерческого спорта.

Такие этические проблемы указывают на потенциальные перспективы медикализации. Врачи неохотно выписывают лекарства здоровым людям. Но сам этот процесс предполагает, что нет такой области человеческой жизни, где нельзя было бы применить медикаменты. Там, где есть спрос — есть и предложение, и нет преград распространению препарата.

Медикализация далеко не всегда плоха.

Усиление интереса врачей к беременности и родам принесло свои плоды, снизив уровень младенческой и материнской смертности. По оценкам Всемирной организации здравоохранения, во всем мире показатели младенческой смертности на 1000 рождений снизились с 64,8 смертей в 1990 году до 30,5 в 2016 году. За тот же период показатели материнской смертности снизились на 44 % — с 385 до 216 на 100 000 рождений.

B

Не все улучшения связаны с медицинскими вмешательствами. По-прежнему идут споры о масштабах медикализации беременности и родов. Медицина, несомненно, внесла свой вклад в решение проблемы. Точно так же медикализация репродукции — разработка противозачаточных таблеток, доступность абортов — расширила возможность контроля женщин за деторождением.

Медикализация ставит вопрос о границах медицины. В границах медицины медикализация правильна, за этими границами — вредна. Кажется, что изучение конкретных патогенных микроорганизмов или заболеваний — филовирусов, рака и диабета — не выходит за границы медицины, а обычное недовольство своим состоянием — выходит. Получается, медицина должна быть направлена на «органические» расстройства, то есть те, у которых есть идентифицируемые поражения или биомаркеры.

Но научные открытия стирают различия между медицинским и немедицинским. Ученые стали рассматривать болезнь как этап или несколько этапов и их вариаций. Концепция различия между болезненными состояниями — объектом внимания врачей — и нормальным и естественным состоянием

A Доступность контрацепции и безопасных абортов предоставила женщинам репродуктивные права. На фото — цветы у граффити с изображением Савиты Халаппанавар. Фотография сделана во время референдума о либерализации законов об абортах в Ирландии в 2018 году. Савита умерла в 2012 году после того, как ей было отказано в экстренном аборте.
B Современная медицина играет важную роль в борьбе со вспышками инфекций. На фото слева — медработники в центре лечения лихорадки Эбола в Койе, Гвинея, в 2015 году. На фото справа — перчатки и ботинки сушатся после обеззараживания.

в

уходит в прошлое. Мы больше не можем полагаться на природу и всё чаще вынуждены сами решать, что является болезнью, а что — нет.

Такой подход может быть мощным инструментом для борьбы со стигматизацией. Но он также способствует усилению медикализации. Не обязательно быть безнадежно больным, симптомов вообще может не быть — но это не означает отсутствия заболевания. Границы интересов медицины и объем потенциального рынка расширяются.

Но проблема ли это? Если медикализация деторождения принесла пользу, почему бы не бороться с любыми болезнями, независимо от их причин? Если человеку больно и медицина может помочь, зачем ему думать о том, являются ли его жалобы узкомедицинскими? Если лекарство помогает справляться с естественным, пусть очень глубоким, унынием — то почему бы его не использовать?

Потому что у лекарств есть побочные эффекты, иногда очень тяжелые. Кризис опиатов в США — тому пример. Депрессия длится долго. Появляется опасность возникновения зависимости от лекарств.

Филовирус — любой член семейства филовирусов (от лат. filum — нить), которые обладают нитевидной структурой и вызывают геморрагические (связанные с кровотечением или аномальным кровотоком) лихорадки. В семейство входят вирусы, вызывающие лихорадку Эбола и Марбург.

A

Но что, если мы откроем лекарство без побочных эффектов? Почему бы не принимать его?

Это кажется парадоксальным, но иногда боль полезна, даже необходима. Несмотря на впечатляющий технический прогресс, люди на удивление уязвимы. Опыт болезни может придать нам сил, поскольку мы учимся преодолевать боль. Множество людей страдают бесцельно и несправедливо, но опыт пережитых страданий и их преодоления может оказаться плодотворным.

Как утверждает Иван Иллич, медикализация охватывает всё больше сторон жизни. Люди позволяют профессионалам контролировать свои жизни. Человечество лишается автономии, теряет знания и способности противостоять неблагоприятным условиям, отказывается от свободы. Углубляющаяся медикализация может изменить сам смысл слова «человек». Таблетки для снятия боли от утраты близкого человека могут изменить смысл этого чувства. Испытывая грусть, мы осознаём как наши собственные потребности, так и отношения с другими людьми. Такой опыт напоминает нам о том, что мы ценим. У каждого чувства есть свои причины, но медикализация чувств может превратить их в ошибки биохимии мозга. А ошибки необходимо исправлять. Мы больше не воспринимаем себя как глубоко чувствующих людей, а видим в зеркале лишь неисправные механизмы, нуждающиеся в ремонте.

Автономия — по-гречески «самоуправление». Первоначально этот термин обозначал независимые греческие города-государства. В настоящее время используется для обозначения способности людей принимать независимые решения в отношении своих жизней. Это базовая концепция как в либеральной политической теории, так и в медицинской этике, где она связана с правом осознанно выбирать медицинскую помощь.

Лабиапластика — хирургическая процедура, часто выполняемая в косметических целях. Включает изменение формы наружных женских половых органов, в частности складок кожи, окружающих вульву: малых и больших половых губ.

Торговля болезнями — процесс расширения границ диагностирования заболеваний. Приводит к увеличению рынков сбыта для компаний, продающих медицинские препараты и предоставляющих другие виды медицинских услуг.

Рассмотрим рост популярности «терапевтической» лабиапластики. У молодых женщин растет количество эмоциональных расстройств. Им кажется, что вид и размер их малых половых губ неправилен. Но у этих женщин нет никаких органических расстройств, и размер малых губ у них в пределах нормы. Эти эмоциональные расстройства вызваны множеством причин. Но одна из основных причин — это давление общества, возникающее из-за порнографических изображений, на которых лобковые волосы сбриты, и женщины выглядят как девочки. Тревогу и депрессию можно медикализировать лекарствами и терапией, а малые половые губы можно прооперировать. Но причины этих расстройств связаны с определенными ожиданиями от женской внешности. Такое положение дел может создать прибыльные рынки для косметической хирургии и способствовать торговле болезнями. Отклонения обнаруживаются у всё большего количества женщин.

Необходимы ли операции со всеми вытекающими рисками — или стоит задуматься об изменении общества?

A Пластические хирурги используют социальные сети для продвижения своих услуг, но это угрожает тайне личной жизни. На фото — близнецы Бруна демонстрируют результаты «бесплатной» операции стоимостью 60 000 долларов. Операция сделана в обмен на размещение изображений ее результатов в Instagram.

B Популярность пластических операций, таких как ринопластика, в нетерапевтических целях растет. Улучшение внешности человека становится всё более прибыльным делом. Но следует ли нам медикализировать недовольство своей внешностью — или мы должны бороться с ожиданиями общества?

C В 2008 году на пластическую хирургию в Китае было потрачено около 2,4 миллиарда долларов. Операция на двойное веко (на картинке) является самой популярной косметической процедурой в Китае. Она делает китайцев похожими на европейцев. Пациенты подвергаются риску, чтобы соответствовать ожиданиям общества.

B

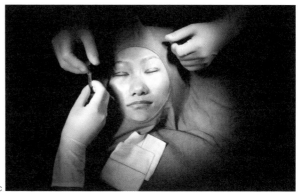

C

Медикализация также увеличивает стоимость медицинского обслуживания. Деньги, потраченные на здравоохранение, не могут быть потрачены на другие полезные вещи. Ненужные медицинские процедуры не позволяют действительно нуждающимся получить помощь. Каждая система здравоохранения в мире балансирует между доступностью и равным доступом к медицинским услугам. Частная медицина не тратит деньги из бюджета, но она слишком дорога. Серьезное заболевание может разорить практически любого. Государственное здравоохранение более справедливо, но траты на медицинские услуги растут из-за медикализации.

Другие этапы естественного жизненного цикла человека также можно медикализировать. Например, старость — это заболевание? Должна ли она стать заболеванием?

Шекспир утверждал, что старость — это природное явление, второе детство, «пора беззубая, безглазая, без вкуса, без памяти малейшей, без всего». Но современная западная культура сражается со старостью с помощью медицины. Самая естественная и неизбежная для долгожителей стадия жизни стала заболеванием и источником наживы.

В своей книге «Медикализация общества» (2007) американский социолог Питер Конрад подробно описывает медикализацию старения. Хотя в фокусе его внимания — медикализация мужественности, его идеи выходят за рамки гендерных вопросов. Для Конрада медикализация старения обусловлена желанием сохранить привлекательную внешность и умственные способности молодых и людей среднего возраста: бодрость, тонус, сексуальную потенцию, умственную работоспособность, волосы на голове. Но медикализация также обусловлена страхом и отвращением к возрасту.

Мишель де Монтень

(1533–1592) — французский государственный деятель, гуманист и писатель. Известен своим трехтомником «Опыты». Родоначальник жанра эссе. Ведущая фигура французского Возрождения. Его книги увлекательны и содержат философские размышления и истории из жизни. Страдал от камней в почках.

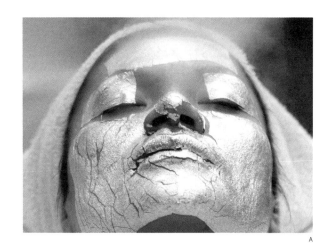

A

A Старость и связанные с ней изменения в организме человека всё чаще рассматриваются как медицинские явления. На фото — лист сусального золота на лице. Считается, что такая процедура омолаживает кожу.
B Поиски вечной молодости начались не вчера. Но в последнее время возникло множество новых процедур — таких, как «укус вампира». Эффективность подобных процедур не доказана.

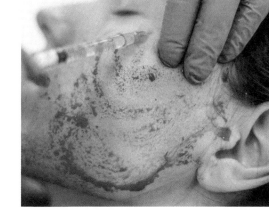

B

Людям никогда не нравилась старость. Великий французский писатель Мишель де Монтень считал, что разрушительное действие старости готовит нас к смерти. Но современное западное общество всё больше ненавидит старость. Наше общество поражено эйджизмом, в старении видят только недостатки. Чтобы противостоять старению или попытаться взять его под контроль, мы обращаемся к медицинским технологиям. И если медицина может решить эту проблему, то старость — это болезнь. Изменения кожи и волос, когда-то считавшиеся естественными, теперь объявили признаками заболевания. Люди не стареют, они заболевают.

В некоторых ранних классических описаниях медикализации женского тела говорилось о медицинском империализме, особенно о расширении медицинского контроля мужчин над женским телом. За медикализацией мужественности стоят несколько факторов, влияющих на мужчин, которые стремятся замедлить старение.

Медицинский империализм — процесс распространения влияния медицины на области, ранее считавшиеся обычными или естественными для человека.

Психогенный (вызванный разумом) — термин, описывающий физические недомогания, источником которых являются эмоциональные, психологические или психиатрические расстройства.

Существует огромный рынок препаратов для повышения потенции и лечения облысения. Сознавая это, фармацевтические компании предлагают свои продукты для удовлетворения спроса. Viagra (силденафила цитрат) является самым продаваемым препаратом всех времен. Сначала его использовали для лечения стенокардии. Стенокардию Viagra не лечила, но был выявлен интересный побочный эффект: эрекция. Viagra стала золотой жилой для фармацевтической компании Pfizer.

A Борьба с недостатками старения мужчин, в том числе со снижением сексуальной потенции, дала толчок медикализации, сопровождающейся ростом спроса со стороны потребителей-мужчин. Viagra, препарат, предназначенный для людей с патологическими нарушениями эрекции, быстро превратился в средство, улучшающее качество жизни.

B Производители лекарств получают прибыль, предоставляя людям желаемое, к примеру — потенцию. Однако успех таких препаратов, как Viagra, привел к тому, что поддельные лекарства получили широкое распространение.

в

Участие врачей в этом процессе замалчивается. В Великобритании Viagra поначалу была лекарством, продаваемым только по рецепту. Его давали лишь тем больным, чья эректильная дисфункция была связана с раком простаты, диабетом или почечной недостаточностью. Но пациенты требовали расширения доступа к препарату. Теперь в Англии его можно купить без рецепта.

Об усилении потенции мечтают миллионы мужчин. Viagra — хороший пример того, как медикализация расширяет свои границы. Препарат, ранее выписывавшийся людям с серьезными заболеваниями, теперь доступен всем.

Сначала Viagra принимали пациенты с органической дисфункцией. Затем ее стали выписывать людям с психогенными нарушениями эрекции. Потом — тем, у кого проблемы с эрекцией возникали время от времени. Сейчас Viagra — это препарат, улучшающий качество жизни. Его принимают здоровые люди.

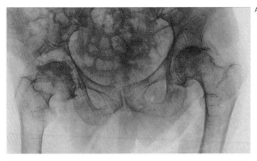

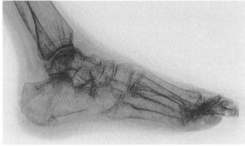

Андропаузой, или «мужской менопаузой», называют ряд нежелательных изменений, с которыми сталкиваются некоторые мужчины в возрасте от 40 до 50 лет. Нежелательные изменения включают в себя депрессию, потерю либидо, эректильную дисфункцию, потерю мышечной массы, гинекомастию (рост груди у мужчин), перепады настроения, раздражительность, потерю энергии, бессонницу и трудности с концентрацией внимания. В США для устранения этих симптомов часто выписывают тестостерон. Но непонятно, существует ли андропауза. У мужчин нет внезапного падения уровня тестостерона в старости. Он постоянно уменьшается с возрастом, менее чем на 2 % в год. Конрад описывает, как в 1935 году, после получения тестостерона в чистом виде, фармацевтические компании искали способ его продажи. Рынок лекарств для болезней, таких как недоразвитие половой системы, был слишком мал. Лечение андропаузы принесло фармацевтическим компаниям несметные богатства.

Медикализация женского старения поднимает те же вопросы.

Снижение уровня эстрогена стало симптомом заболевания — менопаузы, для лечения которой применялась заместительная гормональная терапия (ЗГТ).

ЗГТ не только облегчает симптомы этой «болезни», но и предотвращает возрастные изменения тела. Эти изменения стали симптомами, а ЗГТ — лекарством. К 1975 году препараты гормональной терапии стали самым популярным лекарством в США. Конрад также обращает пристальное внимание на обратную сторону медикализации: несмотря на активное продвижение, первое поколение гормональных препаратов обладало побочными эффектами. Эти препараты вызывали некоторые виды рака, и к 1979 году их почти перестали использовать. Схожие опасения возникли по поводу «более безопасной» замены первому поколению ЗГТ — комбинации эстрогена и прогестина, которая активно рекламируется фармацевтическими компаниями. К 2001 году 33 % женщин в США в возрасте старше 50 лет принимали гормональные препараты нового поколения. Однако исследование, опубликованное в 2002 году в журнале Американской медицинской ассоциации, изменило всё. Восьмилетнее клиническое исследование, сравнивающее ЗГТ с плацебо, было приостановлено после выявления значительных рисков возникновения рака молочной железы, тромбов и болезней сердца. Более позднее исследование не показало никаких улучшений в качестве жизни.

ЗГТ остается спорным методом. Многие женщины значительно улучшили свою жизнь с его помощью. Недавние исследования показывают, что нет никакой связи между гормональной терапией и повышенной смертностью. Но риски существуют. Когда ЗГТ только вышла на рынок, медикализация менопаузы достигала ужасающих масштабов, несмотря на уверения фармацевтических компаний в обратном.

Менопауза — это естественный этап женского старения, связанный со снижением уровня эстрогена. У большинства женщин менопауза наступает в возрасте от 45 до 55 лет. Многие женщины испытывают неприятные побочные эффекты, в том числе приливы жара, ночное потоотделение, снижение либидо, плохое настроение и нервозность. Менопауза часто рассматривается как область медикализации.

в

A

Парадоксы медикализации наиболее ярко проявляются перед смертью.

A/B Смерть всё более медикализируется. Чудесные возможности современной медицины заставляют некоторых людей поверить, что смерть можно победить. В современном обществе врача вынуждают делать всё возможное, чтобы сохранить жизнь пациента. На фото — заполненные жидким азотом контейнеры в компании «КриоРус» недалеко от Москвы. Люди завещают сохранить свои тела и головы в этих металлических чанах в надежде, что они когда-нибудь возродятся и вернутся к жизни.

В медицинской прессе были опубликованы трогательные воспоминания доктора, чей отец также был врачом. Когда он рос и учился, отец говорил с ним о пациентах, которые отказывались принять неизбежность смерти. Они требовали всевозможные лекарства, хватались за самые хрупкие соломинки, любыми путями пытаясь отсрочить свой конец. Врач не мог понять, почему пациенты отказывались принять неизбежное.

Но когда отец доктора сам оказался при смерти, он так же, как и его пациенты, цеплялся за любую возможность пожить еще немного.

В обозримом будущем смерть победить не удастся. По мере увеличения продолжительности жизни, количество болезней пожилого возраста также будет расти. Для каждого заболевания мы принимаем лекарства, у которых есть побочные эффекты. Для их устранения мы ищем иные лекарства, которые вызывают другие побочные эффекты. Их количество растет как снежный ком.

Неуместный научный оптимизм также влияет на оценку ситуации. Если смерть — это медицинское явление, результат болезни или травмы, то есть возможность излечиться от нее с помощью «достижений медицины», если не сейчас, то в ближайшем будущем. С этой точки зрения смерть — это не естественное событие, а врачебная ошибка, которой можно избежать.

Современные врачи не любят рисковать. Западная культура — это культура судебных разбирательств. Смерть — это крайний риск для медицины, и неудивительно, что на врачей оказывают давление. Они понимают, что смерти необходимо избегать. Понятно, почему многие пациенты умирают в отделении интенсивной терапии — так легче доказать адвокатам, что было сделано всё возможное.

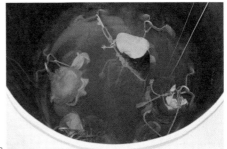

в

Но если смерть неизбежна — то как именно мы хотим умирать? Как выглядит достойная смерть? Большинство людей хочет умереть без боли и мучений. Но где границы медицинского вмешательства? Применения технологий? Хотят ли люди умирать в отделении интенсивной терапии или дома, в кругу семьи и друзей? Если это невозможно, пойдут ли люди в хоспис, чтобы умереть среди гуманных профессионалов паллиативной помощи? Должны ли люди продлевать жизнь? Улучшать ее качество? Эти вопросы указывают на новые стороны медикализации.

Сейчас смерть в подавляющем большинстве случаев считается медицинским явлением.

Хоспис — учреждение для неизлечимо больных, которым более не подходит стационарное лечение в клиниках. В нем помогают справиться с симптомами и обращают особое внимание на эмоциональные и духовные потребности перед смертью.

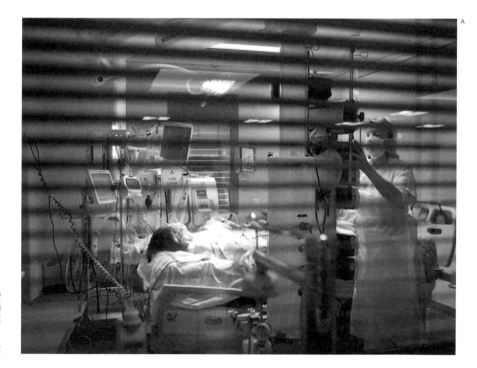

A

A Хотя стремление продлить жизнь — ключевое для медицины, решение о том, когда прекратить активное и дорогостоящее лечение в отделении интенсивной терапии, имеет решающее значение в обеспечении условий достойной смерти.

B Всё чаще жители богатых стран умирают не у себя дома, а в больницах, хосписах или домах престарелых. Медпомощь в таких учреждениях находится на высоком уровне. Но госпитализация в последние дни жизни отучила людей принимать смерть как должное. На фото — отсортированные по дням таблетки для пациента в немецком доме престарелых.

В большинстве ситуаций врачи должны рассказать человеку, из-за чего и когда он умрет. Они должны сделать всё возможное, чтобы отдалить смерть и сделать ее безболезненной. Затем они должны засвидетельствовать смерть. В начале XIX века почти все умирали дома. Сейчас более 80 % американцев умирают в медицинских учреждениях, а 60 % — в больницах неотложной помощи.

Но смерть, как и рождение, — не болезнь.

Смерть — это событие, в высшей степени характерное для человека. Как мы можем понять себя, если мы передаем свою смерть в руки врачей? Какой тогда в ней смысл?

Парадоксы медикализации — движущая сила современной медицины. Одни используют медицину в благих целях, другие подталкивают ее в опасном направлении, нанося не только финансовый ущерб, но и вред для здоровья и благополучия людей. Основные игроки на медицинском рынке — фармакологические компании. Производители лекарств и врачебного оборудования хотят расширить рынки сбыта.

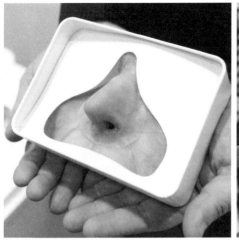
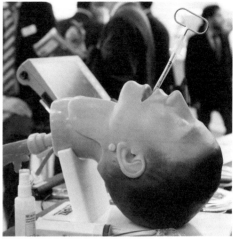

A

В 1970-х годах Генри Гадсден, тогда исполнительный директор фармацевтического гиганта Merck, рассказал журналу Fortune о своем разочаровании тем, что лекарства продаются только больным. Он хотел, чтобы лекарства использовались так же широко, как жевательная резинка. Его целью было продавать препараты всем. Гадсден не только увеличил доходы компании в четыре раза. Он изменил мировоззрение жителей западных районов США о здоровье и болезнях. Мощные рекламные кампании использовали страх перед болезнями, одиночеством, страданиями и старением. Спрос на лекарства, особенно среди здоровых американцев, многократно возрос. Гадсден сумел убедить, что лекарства необходимы всем, даже здоровым.

В связи с этим выросли ожидания от медицины — отчасти из-за рекламы фармкомпаний, отчасти из-за невероятных достижений медицины. Болезнь и страдания всё чаще рассматриваются как неудачи или отклонения от нормы. Их стали считать недопустимыми препятствиями в жизни людей, которые должны быть здоровыми и счастливыми от рождения до старости.

Даже если вы чувствуете себя хорошо, зачем ограничиваться путем, уготованным природой? Счастливая жизнь зависит от совершенства тела и разума. Медицинские технологии меняют нас к лучшему. Почему бы нам не использовать их?

A Хотя медицинские технологии приводят к невероятным
достижениям, поиск прибыли
и расширение рынков могут
обернуться ненужной меди-
кализацией, увеличивая затраты на здравоохранение
и не всегда принося пользу. •
На фото — презентация продукции на выставке MEDICA
2017.

Гипериндивидуализм.
Индивидуализм гово-
рит как о самоценности
личности, так и об обя-
занности ее развития.
Гипериндивидуализм
же не признает никаких
ограничений для инди-
вида, даже с целью об-
щего или общественно-
го блага.

Почему бы не потребовать улучшений, необходимых нам для
процветания в джунглях современного капитализма с его конку-
ренцией, материализмом и гипер-
индивидуализмом?

Всё вышеперечисленное
вместе с платной медици-
ной заложило основу для
расширенного применения
медицинских услуг, как правило не являющихся необ-
ходимыми, а иногда (неиз-
бежно) и вредных.

Медикализация и вызванное ею значительное
увеличение количества медицинских вмешательств
влияют на их цену. Как мы увидим в четвертой
главе, современная медицина нам не по карману.

Необходимо
что-то изменить.

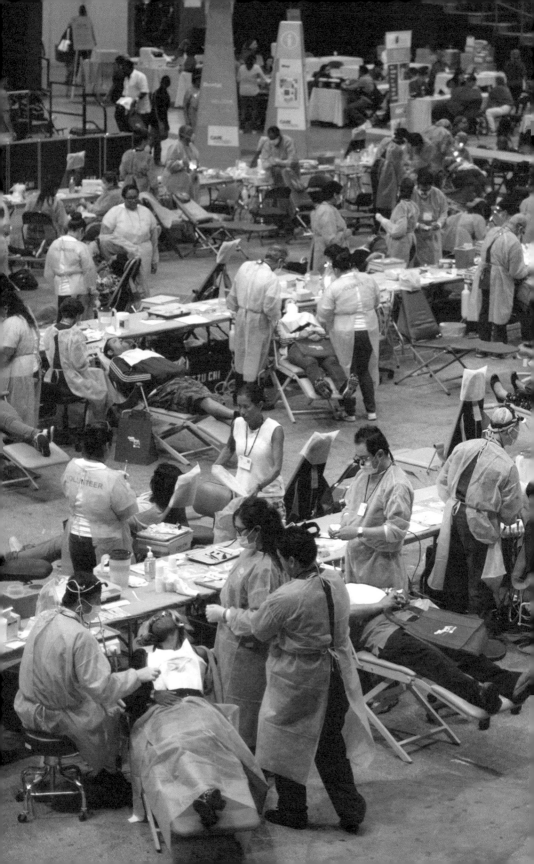

4. Почему современной медицине нужны изменения

A

В начале 2018 года американская компания Spark Therapeutics объявила о новой генетической терапии для лечения некоторых видов врожденной дистрофии сетчатки глаза, ведущих к слепоте. Чтобы вернуть слепым зрение, нужно сделать однократную инъекцию в каждый глаз. В инъекции используется вирус для введения гена-заместителя. Это лекарство, получившее название Luxturna, стоит 425 000 долларов за инъекцию, 850 000 долларов — за полный курс лечения.

A Стоимость медицинских услуг взлетает в связи со старением, высокими технологиями и завышенными ожиданиями. Это становится важной политической проблемой. На фото — французские врачи протестуют против госбюджета, ограничивающего их право на консультации и выписывание лекарств.

B Фармакологические компании являются транснациональными корпорациями с огромными прибылями. Но даже для них исследования и разработка новых лекарств — это затратный и рискованный процесс. На фото — работники израильской компании Teva Pharmaceutical Industries блокируют дорогу в знак протеста против увольнений сотрудников в 2017 году.

Величайшая проблема клинической медицины — ее стоимость. Где нам взять деньги?

Каждая страна, независимо от ее благосостояния, величины или системы здравоохранения, пытается решить этот вопрос.

Сравнивать, как разные страны справляются с расходами на здравоохранение, не так-то просто. Хотя у каждой страны есть свои особенности, они опираются на несколько основных моделей и часто сочетают их.

Одна крайность — платное здравоохранение, например в Индии и США. Люди либо платят за медицинские услуги напрямую, либо за них выплачивают взносы работодатели. Это сочетается с предоставлением медицинских услуг частными фирмами. Хотя такой подход и не обременяет бюджет, существуют серьезные проблемы стоимости медицинских услуг и равенства доступа к ним.

В большинстве континентальных европейских (и не только) стран в той или иной форме существуют системы социального медицинского страхования (СМС). Работники и работодатели делают отчисления в общий фонд, что позволяет им и их детям получить доступ к определенным услугам здравоохранения. Лечение либо бесплатно на момент оказания медицинской помощи, либо оплачивается частично. Спектр услуг и бюджет СМС часто регулируются и увеличиваются на государственном уровне. Многие элементы таких систем доступны для людей с низким доходом. Обычно они подразумевают некую форму прогрессивного налогообложения. Риски часто объединяются: больные обычно платят меньше, чем здоровые; риски распределяются равномерно. Медицинские услуги могут предоставляться коммерческими, некоммерческими или государственными организациями, или какой-либо их комбинацией.

Социальное медицинское страхование (СМС) — механизм финансирования здравоохранения. Обычно работники и работодатели делают отчисления в страховой фонд, который дает им и их детям доступ к определенному спектру медицинских услуг. Взносы зачастую обязательны, и многие страховые фонды субсидируются государством для обеспечения их финансовой стабильности..

в

Плановая операция (от лат. eligere — выбирать) планируется заранее. Не является срочной операцией для спасения жизни или предотвращения серьезного ухудшения состояния здоровья пациента.

Валовый внутренний продукт (ВВП) — экономический термин, обозначающий совокупную стоимость всех товаров и услуг, произведенных в какой-либо стране. Обычно вычисляется за год.

Экономический ультралиберализм — форма крайней, зачастую идеологической, приверженности идеям экономики свободного рынка. Согласно этой точке зрения, максимально возможное число экономических вопросов должно решаться частными лицами и собственниками при минимальном вмешательстве государства.

Другая крайность — государственные системы здравоохранения. Источник финансирования, как правило, — прямой обязательный налог. Лечение бесплатное и общедоступное. Большинство медицинских услуг предоставляется непосредственно государством. Так происходит, к примеру, в Великобритании, но коммерческие поставщики услуг и конкуренция всё чаще участвуют в системе Государственной службы здравоохранения (ГСЗ).

Любая система здравоохранения может привести к экономическим и политическим трудностям, вкратце описанным в этой книге. В Англии Государственная служба здравоохранения — предмет постоянных политических дискуссий. Зимой 2017/18 года все плановые операции были отменены из-за чрезмерного количества пациентов, что было вполне ожидаемо, поскольку зимой уровень риска для здоровья растет. Очереди увеличивались, медицинский персонал находился в беспрецедентном напряжении. Кризис продолжается. Врачи жалуются на «условия работы, как в странах третьего мира». Недовольство пациентов и медицинского персонала растет. Необходимо найти какое-то решение.

A Попытки сократить расходы на ГСЗ привели к экспериментам с коммерческими моделями здравоохранения, что вызвало политические разногласия. Этот политически провокационный плакат ГСЗ / Nike Джонни Бенджера (Sports Banger) был создан в рамках кампании протеста интернов. Здесь он наклеен на плакат с надписью «Рак — место тотального одиночества».

B Качество здравоохранения в США превосходно. Но цены высоки, и у пациентов нет равного доступа к медицинским услугам. Пациенты недовольны. Попытки расширить доступ к медицинским услугам, такие как Obamacare, были политически противоречивы. На фото — реклама Obamacare в страховой компании в Калифорнии.

A

В США система платного здравоохранения находится в непростом положении. Расходы на медицину огромны и составляют около одной пятой валового внутреннего продукта (ВВП). Здравоохранение стало предметом политических игр. Индивидуализм, экономический ультралиберализм и глубокое недоверие к государству создают преграды для коренных преобразований. Но если полностью переложить расходы на лечение на частных лиц и их работодателей и заставить коммерческие компании обеспечить медицинские услуги, то большое количество людей может частично или полностью остаться без врачебной помощи. Лечение стоит очень дорого. Состоятельные американцы имеют доступ к отличной медицинской помощи, но система несправедлива, дорога и неэффективна. Бедным качественное лечение недоступно.

A

A Несмотря на невероятный экономический рост, Китай столкнулся с серьезной проблемой предоставления медицинских услуг в сельской местности. Эта деревенская поликлиника обслуживает около 600 000 человек, проживающих неподалеку от Шуанчэна.

B Доступ к медицинскому обслуживанию в удаленных областях Индии по-прежнему затруднен. На фото — врачи в операционной в больнице Lifeline Express: это состав из семи вагонов на станции в Джалоре.

Посмотрим на проблемы самых густонаселенных стран мира — Китая и Индии.

Население Китая — около 1,4 миллиарда человек. В 2014 году на здравоохранение было израсходовано 5,5 % ВВП. Быстрый рост экономики вывел многих из бедности и в целом улучшил качество медицинских услуг. Высокотехнологичные медицинские услуги доступны богатым городским жителям, но многие сельские бедняки не могут получить даже первичную медицинскую помощь. Несмотря на то что почти половина населения проживает в сельской местности, государство направляет финансирование в основном в города: около 80 % больниц сосредоточены в городах. В сельских районах наблюдается нехватка инфраструктуры общественного здравоохранения. 80 % сельской бедноты не имеют доступа к санитарным услугам, а 20 % — к чистой питьевой воде. Также существуют значительные различия в навыках и образовании медицинских работников. Принцип оплаты за каждую услугу приводит к удорожанию лечения и назначению ненужных процедур. Оплата разорительна и часто не по карману пациентам. Кроме того, быстрый экономический рост этих стран привел к значительной **деградации окружающей среды**, и это еще отразится на здоровье населения в будущем.

> Индия с населением в 1,3 миллиарда человек тратит на здравоохранение даже меньше, чем Китай: 4,7 % ВВП. В то время как государственные расходы Китая на медицину составляют 3,1 % ВВП, в Индии — только 1,4 %. Несмотря на конституцию Индии, гарантирующую всеобщее бесплатное медицинское обслуживание, в 2014 году 62,4 % расходов на здравоохранение были оплачены больными из собственных средств из-за плохого качества или недоступности государственных медицинских услуг. В Индии преобладает частное здравоохранение.

Согласно статье в Times of India (2015), каждый год 63 миллиона человек оказываются за чертой бедности из-за чрезмерных расходов на лечение.

В Индии, как и в Китае, медицина ориентирована на города. Важнейшей проблемой здравоохранения является урбанизация. Городская медицинская инфраструктура рискует не справиться с ней. Несмотря на сильную зависимость людей от частного медицинского обслуживания, три четверти населения не имеют страховок.

Деградация окружающей среды — процесс истощения, разрушения или повреждения природы, при котором уменьшается биоразнообразие, нарушается естественная среда обитания, а природные ресурсы, такие как воздух и вода, загрязняются. Является результатом деятельности человека.

в

| ≤ 3.0 |
| 3.0–5.0 |
| 5.1–8.0 |
| 8.1–10.0 |
| 10.1–13.0 |
| > 13.0 |
| Нет данных |
| Неприменимо |

A

Прежде чем продолжить, необходимо взглянуть на то, что экономисты называют **издержками утраченных возможностей**. Деньги, потраченные на здравоохранение, нельзя потратить на другие нужные вещи. Здоровье жизненно важно, это основополагающее человеческое право. Но есть и другие неотъемлемые права — право на образование, окружающую среду, правосудие, свободу и национальную безопасность. Понятно, что больные более всего ценят здоровье. Но здоровые люди понимают ценность и других важных вещей.

СМИ заставляют нас думать, что в жизни важно лишь быть здоровым. Это не так. Здоровье — это средство, а не цель.

A Расходы на здравоохранение существенно различаются от страны к стране. На карте показана доля этих расходов в процентах от ВВП каждой страны на 2011 год. Хотя богатые страны тратят на медицину больше, это не всегда соответствует более высокому уровню здоровья.

B У разных стран разные экономические модели. США тратят на здравоохранение самую большую долю своего ВВП, но бо́льшая часть этих расходов приходится на частный сектор. На этой карте представлены государственные расходы на медицину в процентах от общих расходов в 2011 году.

Издержки утраченных возможностей — термин в экономической теории, обозначающий упущенную выгоду в результате выбора одного из альтернативных вариантов использования ресурсов.

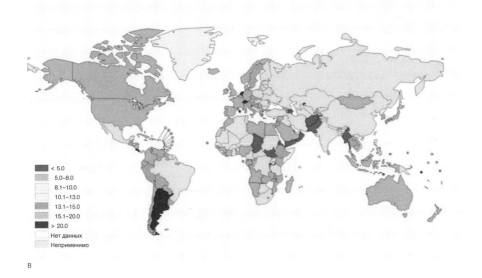

в

Так сколько же денег тратится на здравоохранение? По данным Всемирной организации здравоохранения (ВОЗ), в 2015 году на здравоохранение было потрачено 7,3 триллиона долларов США, что составляет почти 10 % мирового ВВП. Для сравнения: на образование было затрачено лишь около 5 % мирового ВВП. В странах с высоким уровнем дохода наибольшая часть ВВП тратится на медицину — в среднем около 12 %. Страны со средним уровнем дохода тратят наименьшую долю ВВП — 6 %. В странах с низким уровнем дохода, где потребность в медицинских услугах обычно высока, тратится около 7 % ВВП. В 35 странах — членах Организации экономического сотрудничества и развития (ОЭСР) в среднем на здравоохранение тратится около 9 %.

> США являются мировым лидером по расходам на медицину: в 2016 году их расходы составили 17,9 % ВВП. Для сравнения: в тех же США на образование в 2014 году было потрачено 6,2 % ВВП. Великобритания находится на шестом месте по расходам на здравоохранение среди стран «Большой семерки» — Канады, Франции, Германии, Италии, Японии, Великобритании и США. Британские расходы на здравоохранение в 2014 году составили 179 миллиардов фунтов стерлингов, или 9,9 % ВВП. Италия потратила меньше всех — 9,1 % ВВП в 2014 году. Франция и Германия потратили больше, чем Великобритания, около 11 % ВВП.

В странах ОЭСР существует некоторая взаимосвязь между расходами на здравоохранение и продолжительностью жизни. Но так происходит не везде.

A

В 2016 году США потратили 10 348 долларов США на человека, Великобритания потратила 4192 доллара. Япония в 2014 году была лидером по продолжительности жизни среди стран «Большой семерки», несмотря на то что по тратам на здравоохранение на человека она занимала лишь пятое место. Италия же тратила меньше всего на медицину среди стран «Большой семерки», но была на втором месте по продолжительности жизни. Средняя ожидаемая продолжительность жизни при рождении в США составляла 78,8 года, но, как уже было отмечено, этот показатель снизился, в основном из-за широкого распространения опиоидной зависимости. В Великобритании ожидаемая продолжительность жизни при рождении в том же году составила 81,4 года. Интересно, что, по непонятным причинам, ожидаемая продолжительность жизни в Великобритании больше не увеличивается. Некоторые связывают это с сокращением финансирования социальных услуг из бюджета, но четкой причинно-следственной связи установлено не было.

Неудивительно, что нет никакой явной зависимости между расходами на здравоохранение и продолжительностью жизни.

Бо́льшая часть расходов на здравоохранение идет на лечение болезни после ее возникновения. После того как основные инфекционные заболевания были побеждены, на продолжительность жизни стали оказывать влияние факторы образа жизни — диеты, физические упражнения, потребление алкоголя и курение, а также социально-экономические причины. К примеру, фактор пола: в Японии женщины живут в среднем на шесть лет дольше, чем мужчины. Несмотря на снижение уровня смертности от ишемической болезни сердца, эта болезнь по-прежнему является наиболее распространенной причиной смерти в странах ОЭСР. Табакозависимость снижается, но ожирение и пьянство остаются серьезными проблемами общественного здоровья.

Ишемическая болезнь сердца (ИБС, коронарный атеросклероз) — заболевание, в процессе которого кровоснабжение сердца блокируется из-за накопления жировых отложений в коронарных артериях в процессе атеросклероза. ИБС является основной причиной смертности людей.

A Решение проблем со здоровьем, связанных с современным образом жизни, включая ожирение и сердечно-сосудистые заболевания, — один из ключевых вопросов, стоящих перед здравоохранением. На фото — пожилые люди на тренировке в Токио.

B Проблема борьбы с одиночеством среди пожилых людей стоит особенно остро в некоторых областях Японии. Одиночество само по себе может привести к проблемам со здоровьем или усугубить их. Такие мероприятия, как праздник Бон в Токивадайре, предоставляют людям возможность пообщаться.

B

Как же распределяются деньги в здравоохранении? В процентном соотношении во всех или почти во всех странах расходы в подавляющем большинстве случаев направлены на лечение и восстановление после начала болезни. Такая медпомощь дорого стоит и сильно зависит от высоких технологий. Львиная доля этих денег расходуется на больницы, врачебные консультации и экстренную помощь. Как уже было отмечено, коммерческие организации, стремящиеся к быстрому и раннему внедрению своих инновационных продуктов, являются одной из основных причин роста затрат на медицину. Около 50 % ежегодного роста расходов на здравоохранение в США обусловлено новыми технологиями.

Но существуют и иные причины роста расходов на медицину. Ожидание инноваций связано с поколением беби-бумеров — людей, рожденных на Западе после Второй мировой войны и достигших совершеннолетия в 1960-х годах. По сравнению с предыдущими поколениями беби-бумеры были состоятельными, подтянутыми, активными, самоуверенными и политически грамотными. Беби-бумеры верили, что весь мир у них в долгу. Если назвать медицину последним анклавом эпохи Просвещения, то беби-бумеры стали его защитниками. Это было первое поколение людей, которые воспринимали как должное многие великие открытия медицины из числа описанных в этой книге — антибиотики, безопасные операции, противозачаточные таблетки. Они взрослели в 1960-х, 1970-х и 1980-х годах, оставаясь оптимистами и продолжая верить, что весь мир у их ног. Беби-бумеры открыто заявляли о своих правах на любое необходимое им медицинское обслуживание, ведь их жизни ценны, как и жизни других людей. Если беби-бумеры подумают, что какой-то политик ограничивает их права — они не будут голосовать за него. Неудивительно, что у политиков хватает хлопот с ними.

Также растет число опасений по поводу дорогостоящей и зачастую вредной чрезмерной медикализации старости. Британский врач и публицист Джеймс Ле Фану опубликовал множество убедительных историй, присланных читателями, о последствиях одновременного назначения множества лекарств. Он рассказывает о пожилых жертвах «каскада назначений», при котором побочные эффекты лекарства считаются новыми заболеваниями, что приводит к дополнительным назначениям препаратов. По словам Ле Фану, побочные реакции на лекарства отмечены у 44 % стационарных больных и составляют 10 % случаев неотложной госпитализации.

Старение — область, где экономические проблемы встают наиболее остро.

A

В 2016 году более двух пятых частей всех расходов Национальной службы здравоохранения (НСЗ) в Великобритании пришлось на людей старше 65 лет. НСЗ тратит на 85-летнего мужчину примерно в семь раз больше, чем на мужчину в возрасте около 30 лет: в среднем 7000 фунтов в год. И затраты на пожилых людей будут лишь расти. Если отталкиваться от существующих тенденций, то, по данным Британского бюро национальной статистики, к 2039 году почти четверть населения будет старше 65 лет, а каждый четвертый — старше 80 лет. В США исследования показывают, что в 2013 году более 36 % расходов на медицинское обслуживание пришлось на людей старше 65 лет. В основном эти деньги тратятся на лечение ишемической болезни сердца, диабета и гипертонии. Для сравнения: государственные расходы на здравоохранение за тот же год составили примерно 77,9 миллиарда долларов, или около 2,8 % от общих расходов на здравоохранение.

К сожалению, повышение стоимости медицинских услуг в последние годы жизни пациентов в сочетании с одержимостью уникальными медицинскими технологиями заставляет людей забывать об истинных причинах здоровья и хорошего самочувствия. Во многих западных странах либеральный индивидуализм и недоверие к государству приводят к невозможности изменений в системах здравоохранения. Эти изменения помогли бы людям вспомнить об истинных причинах здоровья, но политические трудности тормозят перемены. Примерно 5 % от общего бюджета здравоохранения тратится в Великобритании на услуги общественного здоровья, такие как пропаганда здорового образа жизни и устранение экологических опасностей. США в 2014 году потратили 2,65 % на услуги здравоохранения. И бюджеты сокращаются.

Всё это ставит человечество перед выбором, о котором рассказал американский философ Дэниел Каллахан в своей книге «Укрощение любимого зверя» (2009). Если каждый человек будет разумно использовать ресурсы здравоохранения, то медицинские затраты к старости вырастут. Прогнозы о «сжатии заболеваемости» — долгой и относительно здоровой жизни с небольшим всплеском заболеваемости перед смертью — не сбылись. Наиболее вероятный исход — увеличение количества сопутствующих заболеваний и усиление полифармации. Если принять во внимание стоимость медицинских услуг, то становится ясно, что количество затраченных на здравоохранение денег вырастет к старости. В последние месяцы и недели жизни траты достигнут своего пика. Но должны ли люди расходовать деньги на бесполезную борьбу со старением, ухудшением состояния здоровья и смертью? Какой баланс необходимо соблюсти между нуждами пожилых и потребностями детей, молодых и зрелых людей? Возможно, жестоко так говорить, но является ли продление последних лет нашей жизни таким уж благом?

Либеральный индивидуализм — это политическая позиция, основанная на вере в то, что люди должны быть свободны в достижении самореализации. Вмешательство государства должно быть минимальным. Интересы индивида считаются важнее интересов группы людей или государства.

A Хотя профилактика лучше лечения, о чем напоминают плакаты Абрама Геймса, созданные для пропаганды общественной гигиены, уничтожение многих ранее существовавших угроз здоровью привело к значительному увеличению возрастных болезней.

B Эти китайские плакаты, пропагандирующие общественную гигиену, были напечатаны в 1950-х годах. Сейчас рост политического индивидуализма и связанное с ним недоверие к вторжению государства в жизнь людей привели к спорам о необходимости государственной медицинской помощи.

B

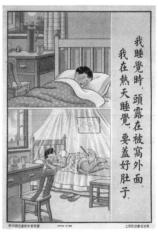

Джен Синконис и ее муж были состоятельными американцами из среднего класса. Джен родила двойню на 24-й неделе беременности. Мальчики-близнецы весили чуть более фунта каждый и провели следующие шесть месяцев в отделении интенсивной терапии новорожденных. Мальчики страдали от многих проблем, вызванных преждевременными родами, включая церебральный паралич, кровоизлияния в мозг, желтуху и пороки сердца. В своем письме в газету Guardian Джен рассказывает о том, как ее семья попала в долги, поскольку место в отделении интенсивной терапии стоит 10 000 долларов в сутки. Многие виды лечения, требуемые для близнецов, не покрывались их страховкой, и через 18 месяцев семья достигла предела трат по своему полису, потратив 2 миллиона долларов. Их долг составлял 450 000 долларов, и паре пришлось продать всё свое имущество и объявить о банкротстве.

На примере США можно многое узнать о современном здравоохранении и его экономических проблемах.

Положительная сторона такой системы состоит в том, что те, кто имеет достаточно денег или хорошую медицинскую страховку, получат в США, пожалуй, лучшую медицинскую помощь в мире. Лечение в ведущих больницах США великолепно. Если у человека есть соответствующая страховка или он может позволить себе заплатить, он быстро получит помощь и у него будет широкий выбор врачей. В медицинские исследования и современные медицинские технологии вкладывают большие деньги.

A США — мировой лидер по затратам ВВП на медицину. Но здравоохранение в Америке далеко не общедоступно. На фото — штампы для сортировки документов разных категорий пациентов.

B Один из аспектов американской культуры — нездоровая любовь к легкодоступному фастфуду. Почти 30 % американцев страдают ожирением, которое может привести к ряду серьезных проблем со здоровьем. На фото — кафе, где продаются пончики.

Младенческая смерт-

ность — это отноше-
ние количества смертей
на первом году жизни
к числу живорождений
среди определенного ко-
личества людей за одно
и то же время. Обычно
выражается в виде отно-
шения количества смер-
тей к 1000 живорожде-
ний в год.

Но у этой системы есть и обратная сторона. Несмотря на то что расходы
на здравоохранение почти вдвое превышают средний показатель по ОЭСР,
общая продолжительность жизни в США низкая. В целом система здравоохранения США весьма неэффективна. Практически по всем показателям здравоохранение в США хуже, чем в других странах с высоким уровнем дохода.
Младенческая смертность, жизненно важный показатель, составляет около
7 смертей на 1000 живорождений. Для сравнения: в Финляндии этот показатель — 2 на 1000. Затраты США на медицину на душу населения в 8 раз выше
затрат Катара, а продолжительность жизни больше всего на один год.

> Также США занимают одно из первых мест среди современных
> богатых стран по уровню неравенства. Появляется всё больше
> доказательств того, что социальное неравенство способствует
> ухудшению здоровья. Сэр Майкл Мармот с коллегами в своей
> работе установили четкую зависимость здоровья от положения
> в обществе: чем выше положение человека в обществе, тем
> лучше его здоровье. В книге «Духовный уровень» (2009) Кейт
> Пикетт и Ричард Уилкинсон утверждают, что неравенство само
> по себе приводит к плохому состоянию здоровья.

Кажется странным, что по некоторым показателям американцы являются одной из самых
нездоровых наций в мире. США возглавляют
глобальную статистику ожирения. В 2015 году
более трети американцев в возрасте 15 лет
и старше страдали ожирением. 31 % детей
также имеют лишний вес. Экономические
издержки США из-за ожирения составляют
от 147 до 210 миллиардов долларов в год.

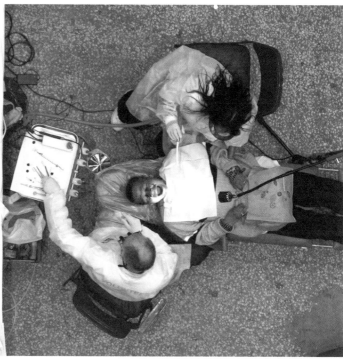

A

Но самая большая проблема системы здравоохранения Америки — ее недоступность. В начале 2018 года информагентство Bloomberg опубликовало статью о трех типичных семьях в США. Семьи Бьюкенен из Марионы (Северная Каролина), Оуэнс из Харахана (Новый Орлеан) и Бобби из Феникса (Аризона) не бедны, но они решили, что больше не могут позволить себе ежемесячно платить 1800 долларов плюс страховой взнос. Будущее этих семей под угрозой. Всего одно серьезное заболевание может обанкротить их. И не дай бог родятся недоношенные близнецы, как у Джен Синконис… Множество американцев испытывают те же трудности.

По данным американских санитарно-эпидемиологических центров, в 2016 году более чем у 28 миллионов человек в возрасте до 65 лет (10,4 % населения) не было медицинских страховок. То есть страховок не было у 5,1 % детей в возрасте до 18 лет и у 12,4 % взрослых в возрасте от 18 до 64 лет.

В

Есть в американском здравоохранении и этнические проблемы. В 2014 году более трети взрослых латиноамериканцев в возрасте от 18 до 64 лет не имели страховки. Страховки не было у 17,6 % чернокожих, 14,5 % белых и 12,1 % азиатов нелатиноамериканского происхождения. Естественно, это отразилось на здоровье. По данным ВОЗ, дети, рожденные от афроамериканских женщин, умирают в два-три раза чаще, чем дети, рожденные женщинами других рас или этнических групп. Американские мужчины всех возрастов и национальностей в четыре раза чаще умирают от самоубийств, чем женщины. Чернокожие чаще всего заболевают раком — 598,5 случаев на 100 000 человек.

Одно-единственное заболевание может стать катастрофой для семей без страховки — таких, как Оуэнсы, Бобби и Бьюкенены, и для тех, кто не может себе позволить качественное медицинское обслуживание. Для бедных выбор очевиден: либо стать банкротом, пытаясь заплатить за медицинскую помощь, либо безработным из-за плохого здоровья. Бедность в сочетании с болезнями разрушила жизни целых поколений.

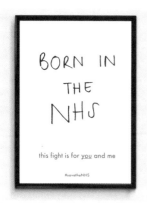

A

Помимо всего прочего, американцам не нравится система здравоохранения в их стране. Уровень недовольства системой здравоохранения в Америке — один из самых высоких среди богатых стран. Американцы почти не прибегают к первичной медико-санитарной помощи. Лечение плохо организовано, неудобно и рискованно для пациента. Плохо проработана система поощрения: врачей не вознаграждают за качественное лечение, а пациенты постоянно жалуются на то, что врачи не прислушиваются к ним.

В отличие от американской системы здравоохранения, британская, по словам политика-консерватора Найджела Лоусона, заменила англичанам религию.

Главное достоинство НСЗ заключается в том, что в случае болезни людям не нужно платить из своего кармана. Не важно, чем заболел человек. В отличие от многих частных страховок, НСЗ покрывает лечение от всех болезней. Медицинские услуги предоставляются всем — каждый житель Великобритании имеет право на медицинскую помощь. Обращение к врачу бесплатно — за небольшими исключениями: к примеру, если нужен рецепт, то необходимо заплатить.

Летом 2017 года, в год своего 75-летия, британский физик и космолог Стивен Хокинг (1942–2018), с юности страдавший редкой формой заболевания двигательных нейронов, написал красноречивое письмо в защиту НСЗ. Хокинг писал: «Медицинская помощь, которую я получил, позволила мне прожить жизнь так, как я хотел, и внести существенный вклад в наше понимание Вселенной».

Первичная медико-санитарная помощь — это, как правило, первая точка соприкосновения пациента и служб здравоохранения. Пациентов принимают врачи общей практики, фармацевты, стоматологи и окулисты. Обычно противопоставляется вторичной помощи, которая предоставляется врачом-специалистом по направлению доктора, оказывающего первичную медико-санитарную помощь.

B

C

A   Британцы гордятся национальной системой здравоохранения. Она бесплатна и предоставляет практически всеобщий доступ к медицинским услугам. Эти плакаты «Рожденные в НСЗ» были созданы Кэрис Норфор в 2016 году для ее проекта «Спасите НСЗ».

B/C Стремление к повышению эффективности медицины привело к тому, что британское правительство начало эксперименты с применением коммерческих моделей. Недовольство постепенной приватизацией вызвало политические споры и организованные протесты.

A

Справедливое распределение благ — справедливый и равноправный доступ к любым общественным благам в конкретной группе людей. Теории пытаются определить, какой тип распределения благ является справедливым.

Моральный риск — экономический термин, описывающий условия, в которых человек или группа людей более склонны рисковать, поскольку считают, что нести расходы будут другие участники ситуации. Моральный риск сыграл свою роль в кризисе 2007–2008 годов, так как банки сильно рисковали, ожидая, что правительства не позволят им обанкротиться.

НСЗ — пример справедливого распределения благ. Случай Хокинга доказывает, что многие проблемы со здоровьем вызваны невезением — генетическим или зависящим от обстоятельств. По статистике, чем ниже положение человека в обществе, тем выше риск возникновения заболеваний, поэтому большинство пациентов НСЗ — малообеспеченные. Болезнь в Великобритании не приводит к банкротству. Английская система здравоохранения справедлива и эффективна, в отличие от американской, — примерно половина всех личных банкротств в США происходит из-за задолженностей врачам. В 2015 году Великобритания потратила лишь 10 % ВВП на здравоохранение. США потратили 18 % ВВП, но доступность медицины была сильно ограничена.

Но несмотря на все преимущества НСЗ, у этой системы имеются серьезные проблемы, обусловленные «болезнями» современной медицины в целом.

В Великобритании, особенно в Англии, идут бесконечные политические дебаты о том, как следует финансировать НСЗ. Потребности и расходы на здравоохранение неумолимо растут, а перечень доступных услуг остается в основном неизменным: неизбежен ввод ограничений. Поскольку нельзя отказаться от того, что медицина должна быть «универсальна» и «бесплатна в любом месте обращения», растут очереди и листы ожидания. Растет и разочарование в НСЗ. Правительство все активнее пытается сократить расходы, и система здравоохранения испытывает сильное давление. Также существуют проблемы, характерные для организаций-монополистов вроде НСЗ, — спектр ее услуг обычно невелик. Управление затратами и внедрение инноваций плохо регулируются. Медицинские услуги бесплатны — а значит, их недооценивают, ими пользуются без нужды. Существует и моральный риск: если люди не платят за себя, они менее заинтересованы в том, чтобы заботиться о своем здоровье самостоятельно.

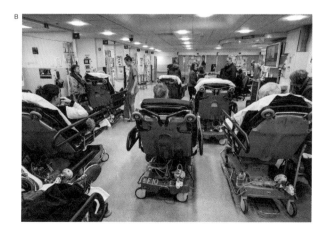

В

А   Политический карикатурист Мортен Мёрланд высмеивает британского премьер-министра Терезу Мэй и ее попытки справиться с финансовым кризисом, с которым столкнулась НСЗ.
В   Серьезные финансовые трудности в НСЗ означают, что система перегружена. Предсказуемый рост числа обращений, к примеру, по поводу респираторных инфекций зимой, приводит к перегрузке. В результате возникают длинные очереди в коридорах больниц (на фото).

Если же посмотреть на страны за пределами западного мира, всплывают иные экономические проблемы.

Рассмотрим шистосомоз. Это заболевание, вызываемое паразитическими червями, которые живут в пресной воде в тропических и субтропических зонах. Попадая в организм через кожу, черви проникают в кровь и откладывают яйца в кишечнике и мочевом пузыре. Начинается лихорадка, диарея и мышечные боли. Если болезнь не лечить, человек может умереть из-за заболеваний печени и рака мочевого пузыря. Обычно шистосомоз можно легко и дешево вылечить препаратом празиквантел: лечение стоит центов 20 или 30. Тем не менее в настоящее время более 200 миллионов человек страдают от этой болезни, в основном в Африке.

Неудачи мировой системы здравоохранения и поддерживающей ее фармацевтической промышленности наиболее ярко проявляются в неравномерном распределении показателей здоровья и болезней.

Причины такого положения дел не вполне ясны. Больно читать статистические отчеты ВОЗ, согласно которым при средней продолжительности жизни в 71,4 года в 2015 году жители Сьерра-Леоне живут всего 51 год, а жители Малави — 47 лет. Для сравнения: средняя продолжительность жизни в Японии — 83 года. В республике Чад каждый пятый ребенок умирает в возрасте до пяти лет. В Финляндии этот показатель составляет 2,3 на тысячу

A/B На фото слева — плакат службы общественного здравоохранения, справа — предупредительный знак в Китае. Ухудшение состояния здоровья, возникающее в результате предотвратимых паразитарных инфекций, передающихся через воду, таких как шистосомоз, выявляет сильное неравенство в мировых показателях состояния здоровья. Это неравенство — пример сбоя рынка. Несмотря на значительные потребности в лечении, бедность жителей тропических стран делает исследования и разработки лекарственных средств экономически непривлекательными.

человек. В Афганистане, Сомали и республике Чад одна женщина из ста умирает при родах. В Финляндии в 2011 году при родах не умерла ни одна женщина.

Статистика сообщает лишь о результатах, но есть и другие факторы. По оценкам ВОЗ, миллиард людей на планете недоедает, а ведь еда — определяющий фактор здоровья. В отсутствие финансируемой государством системы здравоохранения многие из самых бедных людей в мире вынуждены платить за медицинское обслуживание из своего кармана. Около 100 миллионов человек в год становятся бедняками из-за счетов за медицинские услуги. Бедность и плохое здоровье взаимосвязаны. Бедность — фактор риска возникновения заболеваний, а заболевания приводят к бедности. В странах, которые больше других нуждаются в медицинских услугах, меньше всего врачей. В Мьянме и Нигере на каждые 100 000 человек приходится четыре врача, а в Швейцарии — сорок.

Глобальное неравенство в сфере здравоохранения также является серьезным свидетельством сбоя в работе рынка. Беднейшие люди в мире не получают необходимую им помощь не только потому, что они не могут себе этого позволить, но и потому, что они — слишком маленький рынок для внедрения инноваций.

A

Рассмотрим забытые тропические болезни, такие как шистосомоз. Несмотря на то что в развитых странах они практически уничтожены, такие заболевания, по оценкам ВОЗ, ежегодно поражают более миллиарда человек. Забытые
тропические болезни вызывают серьезные ухудшения состояния здоровья и приводят к инвалидности. Беднейшие страны
тратят миллиарды долларов на борьбу с тропическими болезнями. Хотя стоимость каждой кампании по борьбе с такими заболеваниями — около 50 центов на человека в год.

У сложившейся ситуации несколько причин. Забытые тропические болезни редко встречаются на Западе, и поэтому на них не обращают
внимания те страны, которые могли бы повлиять на ситуацию. В центре
внимания общественного здравоохранения находятся наиболее опасные заболевания — ВИЧ/СПИД, туберкулез и малярия, а не забытые тропические болезни. Отсутствие рынка сбыта означает, что крупнейшим
фармацевтическим компаниям невыгодно исследовать и разрабатывать
лекарства против таких болезней. Из 1400 лекарств, зарегистрированных в период с 1975 по 1999 год, менее 1 % лечили тропические заболевания. По данным организации «Инициатива по созданию препаратов
против забытых болезней», только 4 % новых препаратов, одобренных
в период с 2000 по 2011 год, предназначались для лечения забытых
болезней, хотя такие болезни составляют 11 % от всех заболеваний
в мире. Крупные фармацевтические компании инвестируют 90 % бюджета научных исследований в поиск лекарств от 10 % заболеваний.
Многие коммерческие исследования и разработки в области фармацев-
тики также сосредоточены на терапевтических аналогах: поиске актив-
ных составляющих, похожих на существующие соединения, пусть и немного отличающихся по воздействию. По сравнению с этим разработка
и исследование препаратов для лечения тропических болезней считаются дорогостоящим и коммерчески рискованным делом.

Стоящие перед медициной экономические проблемы сложны и глубоки, но они являются не только причиной, но и следствием. За ними стоят социальные установки, многие из которых поощряются медициной, что ведет к неумолимому росту расходов. Проще говоря, люди должны отказаться от ложной веры в то, что болезнь можно преодолеть, старение — отложить, а смерть — победить. Вместо этого необходимо признать, что здоровье, будучи важным благом, не является благом единственным и что вечно быть здоровым нельзя.

Если мы не обуздаем наши ожидания, то они уничтожат нас.

Забытые тропические болезни — сложный комплекс в основном паразитарных и бактериальных заболеваний. Ареал распространения — около 150 бедных стран в Азии, Африке и Южной Америке. Примеры забытых болезней — болезнь Шагаса, анкилостома, африканский трипаносомоз человека, лейшманиоз и проказа.

«Инициатива по созданию препаратов против забытых болезней» — глобальная некоммерческая научно-исследовательская организация по вопросам сотрудничества и разработки новых методов лечения забытых болезней. Она ставит на первое место потребности пациента, а не прибыль и стремится преодолеть сбои рынка.

Заключение

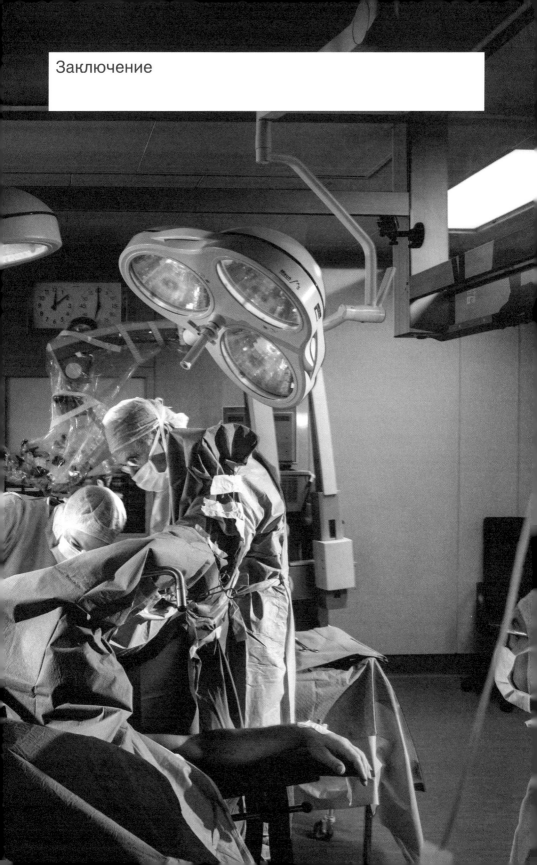

Современная медицина достигла невероятных успехов.

Люди, которым повезло больше, чем другим, принимают медицину как должное и не могут представить себе жизнь без нее. На протяжении тысячелетий врачи действовали наугад. В наши дни существуют анестезия, антидепрессанты и сильные обезболивающие. Раньше слово «хирургия» было лишь обнадеживающим синонимом для слова «бойня». Сейчас же замена тазобедренного сустава или удаление аппендицита — рутинные операции. Хирургия творит чудеса: пересаживает сердце и легкие, совершает операции на мозге, использует робототехнику. Современная наука делает удивительные открытия: набирает популярность генетическая терапия, широко используется регенеративная медицина. Выращенные в лабораторных условиях мочевые пузыри и трахеи уже помогают спасать жизни. Ежедневные улучшения в терапии сделали роды практически безопасными, а хосписы изменили наше представление о последних днях жизни.

Но несмотря на все чудеса, растет понимание того, что медицина движется в неправильном направлении.

A

A   Хотя зависимость от лекарств постоянно возрастает, ухудшение здоровья часто вызвано образом жизни. На фото — процесс производства лекарств.

B   На фото — анатомические манекены в центре обучения уходу за пожилыми людьми в Германии. Старение населения всё больше и больше увеличивает стоимость медицинских услуг.

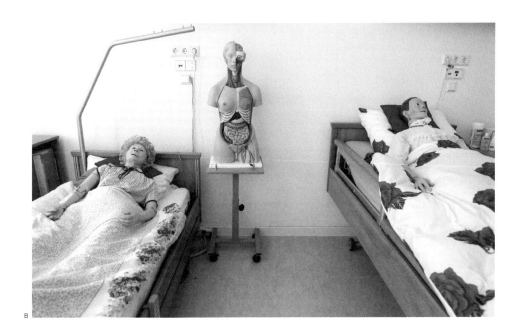

в

Отчасти это связано с непредвиденными по-
следствиями медицинских достижений. Увеличение продолжительности жизни не устранило
потребность в лекарствах, а привело к увеличению потребления их в старости. Растет число
расстройств, связанных с возрастом. Многие
из них не поддаются лечению в обычном смысле
слова. Большинство беспокоящих нас проблем
не относится к области компетенции высокотехнологичной сверхсовременной медицины. Эти
состояния нельзя вылечить в привычном пони-
мании. Нам необходимы как помощь и забота,
так и передовые медицинские технологии.

Тысячелетиями медицина ничего не могла сделать с болезнями. Но в первой половине XX века ее ждал невиданный расцвет.
Ученые разработали необычайно эффективные лекарства. Хирургические и диагностические методы изменились. Благодаря
достижениям общественного здравоохранения прошлого века продолжительность жизни на Западе резко возросла. Но несмотря на
блестящие технологические открытия, успехи в области здравоохранения становятся всё неочевиднее, а затраты зашкаливают.

Кроме того, всё больше областей жизни подвергаются медикализации. Люди обращаются к медицине, чтобы решить свои проблемы на скорую руку. СДВГ, алкоголизм, бесплодие, ожирение и даже смерть — области, где медицина постоянно расширяет свои границы.

На положение дел также влияет коммерция. Медицина — это гигантский прибыльный мировой рынок. Влиятельные корпорации занимаются исследованиями. В постоянном стремлении расширить рынки сбыта они занимаются торговлей болезнями и создают почву для медикализации, продавая обычные состояния людей как заболевания, требующие дорогостоящего лечения. Растет число конфликтов интересов.

Люди хотят получить от научной медицины высокотехнологичную волшебную таблетку, которая поможет им избавиться от смерти. К сожалению, это желание приводит к пренебрежению собственным здоровьем. Как бы тривиально это ни звучало, профилактика

A   Существуют опасения, что медицинские исследования, которые должны руководствоваться принципами объективности и научного нейтралитета, всё чаще становятся областью конфликта интересов, создаваемого влиятельными компаниями, такими как Bayer или Monsanto.
B   Медицина приходит в прибыльные нетерапевтические области, поскольку люди хотят улучшить качество жизни. На фото — демонстрация компьютерных программ на конгрессе по пластической хирургии в Париже в 2018 году.

A

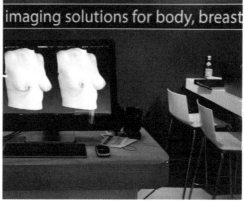

в

действительно лучше лечения. Известно, что каждое медицинское воздействие порождает побочный эффект. Необходимо позволить организму самому заботиться о себе, создать условия для того, чтобы не заболеть. Но по большей части люди прибегают к дорогостоящим лекарствам. Медикализируется даже профилактика, при этом в надежде избежать будущих болезней огромные суммы расходуются на лечение пациентов, у которых еще нет симптомов. Немедицинская профилактика не столь привлекательна, она не принесет гигантских прибылей. Человечество свернуло не туда.

Если посмотреть на мир в целом, а не только на развитые страны, ситуация выглядит весьма неблагоприятной. Мировые расходы на исследование малярии в 2010 году составили около 547 миллионов долларов, на лечение от ВИЧ/СПИДа — около 1 миллиарда. По данным Международного хирургического сообщества по восстановлению волос, ежегодные расходы на операции по борьбе с выпадением волос составляют 2 миллиарда долларов. Врачи не виноваты в сложившейся ситуации. Это следствие экономического неравенства и стремления к чрезмерному потреблению. Приоритеты человечества ошибочны. Как в отдельных странах, так и в мировом масштабе, системы здравоохранения либо не справляются с ситуацией, либо направляют усилия совсем не туда.

Осуществить необходимые изменения нелегко, но системы здравоохранения нуждаются в пересмотре.

Люди должны двигаться вперед, опережать болезни и уделять внимание обычным, будничным привычкам поддержания хорошего самочувствия. Звучит банально, но следует есть овощи и заниматься спортом. Общественное мнение утверждает, что это непросто. Справиться со стереотипами будет нелегко, но это необходимо сделать.

Мы должны выработать более реалистичные ожидания.

Люди смертны. Люди болеют и умирают. Современное общество стремится скрыть это, но необходимо взглянуть правде в глаза. Пока мы отрицаем бренность бытия и скоротечность жизни, мы продолжаем требовать всё более дорогостоящей медицинской помощи. Ее эффективность продолжает снижаться. Мы злимся на мир и на врачей за то, что они не отсрочили неизбежный конец. Вспомним, что эффективное лекарство от простуды всё еще не найдено. Возможно, этот шаг будет самым трудным из всех, но следует обсудить это и проголосовать за ограничение бюджета на здравоохранение. Невозможно предоставить каждому, кто хочет (или даже нуждается), лечение на выбор. Токсичное сочетание демографических изменений, постоянно растущих ожиданий от медицины, сопутствующих заболеваний, болезней, вызванных изобилием, медикализации и безграничных инноваций ищущего прибыль медико-промышленного комплекса приведет человечество к краху.

A

A Медсестра беседует с матерями в Кении после начала кампании вакцинации против полиомиелита в странах с высоким риском заражения. Выполняя простые действия, можно значительно повысить уровень здоровья в бедных странах.

B Машина вряд ли сможет заботиться о людях лучше самих людей. На фото — заключенный помогает больному раком сокамернику в медицинском крыле тюрьмы в Калифорнии.

Медицина — как одна из самых значимых областей человеческой деятельности — нуждается в переосмыслении.

Необходимо более справедливо распределить медицинские услуги и устранить позорное неравенство в сфере здравоохранения в мире. Но нам следует понять, что медицина никогда не изобретет лекарство от всех болезней. Если она продолжит двигаться той же дорогой, то станет вредной для нас. Ответственность за здоровье всё чаще ложится на наши плечи.

Мы должны изменить свое отношение к медицине.

Нам необходимо смирить нашу страсть к высоким технологиям и делать инвестиции в гуманное, относительно низкотехнологичное медицинское обслуживание, как, например, в семейную медицину. Учитывая современную картину заболеваемости, нужен общий подход, а не специализация, важен уход за больными, а не погоня за волшебным лекарством. Стоит в определенной степени принять неизбежное и, как бы ни было это печально, смириться с ним. Мечты о том, что мы можем искоренить болезни и победить смерть, свойственны человеку. Но это всего лишь мечты.

Литература

Классические труды

Везалий, А. О строении человеческого тела: В семи книгах. М.: Изд-во АН СССР, 1950–1954, Т. 2.

Гален К. Соч. Т. I / Общ. ред., сост., вступ. ст. и коммент. Д.А. Балалыкина, пер. А.П. Щеглова. М.: Весть, 2014.

Гарвей В. Анатомические исследования о движении сердца и крови у животных. Л.: Госиздат, 1927.

Гиппократ. Соч. в 3 т. Л.: Биомедгиз, 1936.

Общие работы

Голдакр Б. Обман в науке. М.: Эксмо, 2010.

Голдакр Б. Вся правда о лекарствах. Мировой заговор фармкомпаний. Москва: РИПОЛ Классик, 2015.

Стайрон У. Самоубийственная гонка. Зримая тьма. М.: АСТ, 2013.

Хитченс У. Последние 100 дней. М.: Альпина Бизнес Букс, 2013.

Gawande A. Complications: A Surgeon's Notes on an Imperfect Science. London: Profile, 2010.

Gawande A. Being Mortal: Illness, Medicine and What Matters in the End. London: Profile, 2015.

Glied S., ed. The Oxford Handbook of Health Economics. Oxford: Oxford University Press, 2011.

Goldacre B. I Think You'll Find It's a Bit More Complicated Than That. London: HarperCollins, 2014.

Healy D. Let Them Eat Prozac. New York: New York University Press, 2004.

Healy D. Pharmageddon. Berkeley: University of California Press, 2012.

Horton R. Second Opinion: Doctors, Diseases and Decisions in Modern Medicine. London: Granta, 2003.

Le Fanu J. The Rise and Fall of Modern Medicine. London: Little, Brown, 1999.

Le Fanu J. Too Many Pills. London: Little, Brown, 2018.

Malhotra A. A Bitter Pill: A Doctor's Insight into Medical Corruption. London: Bloomsbury, 2019.

Meier B. Pain Killer: An Empire of eceit and the Origin of America's Opioid Epidemic. New York: Random House, 2018.

Mitford J. The American Way of Death Revisited. London: Virago, 1998.

Moynihan R. Selling Sickness: How Drug Companies Are Turning Us All into Patients. Crow's Nest: Allen and Unwin, 2005.

Pickett K. The Spirit Level: Why More Equal Societies Almost Always Do Better. London: Bloomsbury, 2009.

Schwarz A. ADHD Nation: Children, Doctors, Big Pharma, and the Making of an American Epidemic. New York: Scribner, 2016.

История медицины

Bynum W. F. The History of Medicine: A Very Short Introduction. Oxford: Oxford University Press, 2008.

Hollingham R. Blood and Guts: A History of Surgery. London: Random House, 2008.

Longrigg J. Greek Medicine from the Homeric to the Heroic Age: A Sourcebook. New York: Routledge, 1998.

Porter R. The Greatest Benefit to Mankind: A Medical History of Humanity from Antiquity to the Present. London: HarperCollins, 1997.

Porter R. Madness: A Brief History. Oxford: Oxford University Press, 2002.

Porter R. Blood and Guts: A Short History of Medicine. London: Penguin, 2003.

Porter R., ed. The Cambridge History of Medicine. Cambridge: Cambridge University Press, 2006.

Общественное здравоохранение

Berridge V. Public Health: A Very Short Introduction. Oxford: Oxford University Press, 2016.

Marmot M. The Health Gap. London: Bloomsbury, 2015.

Spinney L. Pale Rider: The Spanish Flu of 1918 and How it Changed the World. London: Random House, 2017.

Социология медицины

Сас Т. Фабрика безумия. Екатеринбург: Ультра Культура, 2008.

Сас Т. Миф душевной болезни. М.: Академический проект, Альма Матер, 2010.

Фуко М. Рождение клиники. М.: Смысл, 1998.

Blaxter M. Health. Cambridge: Polity, 2010.

Callahan D. Taming the Beloved Beast: How Medical Technology Costs Are Destroying our Health Care System. Princeton: Princeton University Press, 2009.

Conrad P. The Medicalization of Society. Baltimore: The Johns Hopkins University Press, 2007.

Illich I. Limits to Medicine: Medical Nemesis — The Expropriation of Health. London: Penguin, 1977.

Nettleton S. The Sociology of Health and Illness. Cambridge: Polity, 2013.

Szasz T. The Medicalization of Everyday Life. New York: Syracuse University Press, 2007.

Thomas C. Sociologies of Disability and Illness. Basingstoke: Palgrave, 2007.

Источники иллюстраций

Предприняв все усилия, чтобы найти и упомянуть правообладателей фотоматериалов, использованных в этой книге, автор и издатель приносят извинения за любые упущения или ошибки, которые будут по возможности исправлены в следующих изданиях.

в — вверху, н — внизу, ц — в центре, л — слева, п — справа

Лицевая сторона обложки: Wavebreak Media Ltd / 123rf.com
Оборотная сторона обложки: Мартен Барро / Getty Images

2 © Paolo Pellegrin / Magnum Photos

4–5 Universal Images Group / Getty Images

6–7 Публикуется с разрешения Адриана Кантровица

8 Хавьер Ларреа / Getty Images

9 Кристофер Фурлонг / Getty Images

10 © Susan Meiselas / Magnum Photos

11 Джон Мур / Getty Images

12 Дэвид Джоэл / Getty images

13 Джефф Смит / Getty Images

14 Натан Бен / Corbis via Getty Images

15 Reuters / Файсал аль-Нассер

16 Патрисия де Мело Морейра / AFP / Getty Images

17 Энтони Кван / Bloomberg via Getty Images

18–19 Собрание Wellcome, Лондон

20л Британская библиотека, Лондон

20п Собрание Веллком, Лондон

21 Британская библиотека, Лондон/ Diomedia

22 St. Johns 17 f.7v. Библиотека колледжа Святого Иоанна, Оксфорд

23 Британская библиотека, Лондон; © British Library Board; все права защищены / Bridgeman Images

24л Собрание Wellcome, Лондон

24п Музей науки, Лондон

25 Epiphanie Medicorum Ульриха Пиндера, 1506

26 Музей науки, Лондон

27 Публикуется с разрешения Historical Collections & Services, Библиотека медицинских наук Клода Мура, Университет Виргинии

28 Национальная медицинская библиотека США, Бетесда, штат Мэриленд

29 Собрание Wellcome, Лондон

30 Частное собрание; фото Пола Льюиса; публикуется с разрешения Erasmus House, Брюссель

32–33 Собрание Wellcome, Лондон

34 Universal Images Group / Christophel Fine Art / Diomedia

35 Florilegius / SSPL / Getty Images

36 Музей Джона Пола Гетти, Лос-Анджелес

37л Джейкоб А. Риис/ Getty Images

37п Джейкоб А. Риис / Городской музей, Нью-Йорк / Getty Images

38 Собрание Wellcome, Лондон

39в Собрание Wellcome, Лондон

39н Собрание Халтон-Дойч / Corbis via Getty Images

40–41 Этиология туберкулеза Роберта Коха; опубликовано Августом Хиршвальдом, Берлин, 1884

42–43 Собрание Wellcome, Лондон

44 Роджер-Вайолет / Topfoto

45 Исторический архив Отиса, Национальный музей здоровья и медицины / Science Photo Library

46 Публикуется с разрешения Адриана Кантровица

47 Публикуется с разрешения Катрин Дебейки

48 Лука Сэйдж / Getty Images

49 © Burt Glinn / Magnum Photos

50–51 © Peter van Agtmael / Magnum Photos

52 Публикуется с разрешения Центра регенеративной медицины «Стефано Феррари», Университет Модены и Реджо-Эмилии

53 Джоэл Принс для The Washington Post via Getty Images

54л Ассоциация фармацевтов Онтарио

54п Меган Мак-Карти / The Palm Beach Post via ZUMA Press Inc / Alamy Stock Photo

55 Кори Кларк/ NurPhoto via Getty Images

56в Ахикам Сери / Bloomberg via Getty Images

56н Джаспер Джуйнен / Bloomberg via Getty Images

57 Том Уильямс / Getty Images

59 Архив всемирной истории / Alamy Stock Photo

60л DeAgostini / Getty Images

60п Дж. Л. Кемени / ISM / Science Photo Library

61 Доктор П. Мараcци / Science Photo Library

Указатель

Автор хотел бы поблагодарить своего друга Мэтью Тейлора за то, что он подал идею написать эту книгу, за его ум и беседы с ним, а также своих доброжелательных и нетребовательных редакторов — Бекки Джи и Джейн Лэйнг. Спасибо Фиби Линдсли и Тристану де Лэнси за продуманный и привлекательный дизайн и обработку фотографий. И наконец, спасибо Имельде и моим сыновьям — Финли и Доминику — за бесконечное терпение и неисчерпаемый запас добродушия.

УДК 316:61
ББК 60.561.6+51.1
Ш38

Данное издание осуществлено в рамках
совместной издательской программы
Ad Marginem и ABCdesign

Джулиан Шизер
Помогает ли нам медицина?

Перевод — Настасья Вахтина
Редактор — Марина Козикова
Корректор — Людмила Самойлова
Выпускающий редактор — Елена Бондал
Адаптация макета — ABCdesign

Шизер, Джулиан.
Ш38   Помогает ли нам медицина? / Джулиан Шизер. — М. :
Ад Маргинем Пресс, ABCdesign, 2019. — 144 с. : ил. —
(The Big Idea).

ISBN 978-5-91103-484-9
ISBN 978-5-4330-0122-0

Published by arrangement with Thames&Hudson Ltd, London
© Is Medicine Still Good For Us?
This edition first published in Russia in 2019
by Ad Marginem Press, Moscow
Russian Edition © 2019 Ad Marginem Press
© ООО «Ад Маргинем Пресс», ООО «АВСдизайн», 2019

По вопросам оптовой закупки
книг издательского проекта «А+А»
обращайтесь по телефону:
+7 (499) 763 3227, или пишите:
sales@admarginem.ru

ООО «Ад Маргинем Пресс»
Резидент ЦТИ ФАБРИКА
Переведеновский пер., д. 18,
Москва, 105082
тел.: +7 (499) 763 3595
info@admarginem.ru

ООО «АВСдизайн»,
ул. Малая Дмитровка, д. 24/2
Москва, 127006
тел.: +7 (495) 694 6293
contactme@abcdesign.ru

Printed and bound in Slovenia by
DZS-Grafik d.o.o.